MOMENTOS DE PODER

Una motivación positiva
y
una inspiración poderosa

Michael A. Cramer

Producido por JM Press, Brentwood, TN 37024-1911. Estados Unidos

Publicado originalmente en inglés bajo el título Power Moments © 2002 por Power for Living Ministry, Inc. (Ministerio Poder para Vivir).

ISBN: 0-9717532-0-2

ISBN: 0-9717532-2-9

Traducido al español por Sandra R. Leoni.
Diseño de portada e interior por Ron Watson

IMPRESO EN ESTADOS UNIDOS

Dedicactoria

Dedico este libro a mi bella esposa, Cindi. Le doy gracias a Dios por el bello apoyo y la cariñosa influencia de ella en mi vida y mi ministerio. Ella es la que más me anima y mi mejor amiga. Juntos hemos experimentado el gozo más grande y el ministerio más importante al ser parte de la vida de nuestros cuatro maravillosos hijos: Michael, Joseph, Jacob y Hannah.

ÍNDICE

Introducción

Las personas que han logrado el éxito en la vida tienen en común algunos valores básicos. Tienen una actitud positiva, han desarrollado una personalidad ganadora y poseen una fe inspiradora. El optimismo que las caracteriza ayuda a dichas personas a creer que todo es posible. Su fortaleza interior les inyecta la pasión por el éxito. Su fe en Dios las conecta con la auténtica fuerza para vivir. En consecuencia, su influencia positiva produce un impacto poderoso.

Cuando le hice una entrevista a un joven llamado Matt Christian, que había nacido sin manos ni pies, vi que tenía "el corazón de un león". Lo conocí en una competencia escolar de lucha en Clarks Summit, Pensilvania, EE.UU. Luchaba con ferocidad, de rodillas. También su mirada era extremadamente intensa al tener que competir sin sus dos antebrazos. ¡Matt sorprendió a la multitud al superar todas las desventajas y ganar espectacularmente en un juego!

¡Personas inspiradoras como Matt son ganadoras en el juego de la vida! ¡Son una prueba viviente del poder de Dios! Por fortuna, ese mismo poder también está a su disposición. Jesús dijo: "Si puedes creer, al que cree todo le es posible".

El libro *MOMENTOS DE PODER* se ha diseñado para que usted aumente su fe y avive la visión del éxito. Cada capítulo contiene un relato motivador que levantará su espíritu y un principio bíblico que establecerá una base victoriosa. Los capítulos son breves y fáciles de leer, y se pueden seleccionar en el orden que usted prefiera. Mi meta es brindarle "MOMENTOS DE PODER" para que su peregrinaje en la fe vaya por el camino del verdadero éxito.

—Michael A. Cramer

Capítulo 1

Cada obstáculo es una oportunidad potencial

La Biblia dice en Romanos 8:28:

Y sabemos que a los que aman a Dios, todas las cosas les ayudan a bien, esto es, a los que conforme a su propósito son llamados.

Creer en esta positiva promesa de la Palabra de Dios nos ayudará con seguridad a ver cada obstáculo como una oportunidad potencial.

La Biblia está llena de ejemplos de personas que se han enfrentado a desafíos y han experimentado victorias grandiosas. David, por cierto, se enfrentó con un obstáculo cuando tuvo que ir contra el gigante llamado Goliat. Sin embargo, su fe convirtió dicho obstáculo en una oportunidad para experimentar el poder de Dios. David comprobó que los gigantes se desmoronan cuando prevalece la fe.

Cuando a Daniel lo arrojaron al foso con los leones se enfrentó con un obstáculo. Una vez más, esta fue una oportunidad para experimentar el poder de Dios. Daniel apoyó su cabeza sobre los leones como si fueran almohadas, y durmió como un bebé, porque Dios les cerró la boca a los animales.

Cuando arrojaron al horno de fuego a los tres muchachos hebreos, Sadrac, Mesac y Abed-nego, estos se enfrentaron con un obstáculo. Todos pensaron que morirían. Sin embargo, pudieron resistirlo porque Dios los mantuvo en calma y serenos.

Podríamos continuar con los ejemplos. Por eso Romanos 8:31 dice:

¿Qué, pues, diremos a esto? Si Dios es por nosotros, ¿quién contra nosotros?

Seamos realistas, todos nos enfrentamos con obstáculos, ¿no es verdad? Quizá se trate de un trabajo nuevo, de la presión de los compañeros en la escuela, de una relación tensa con un viejo amigo o de un problema en el hogar. Podemos desalentarnos cuando nos concentramos solamente en el obstáculo. Aunque si aprendemos a mirar a través de los ojos de la fe, esto nos ayudará a ver nuestro obstáculo como una oportunidad potencial para experimentar el poder de Cristo.

Muchas personas que han alcanzado grandes logros comenzaron por vencer obstáculos mayúsculos. Joe DiMaggio, un grandioso ex jugador del equipo de los Yankees, es un ejemplo. En realidad, el obstáculo con el que se enfrentaba se transformó en la oportunidad para lograr un éxito increíble.

Su obstáculo era un problema estomacal que le impedía ser parte del negocio de la pesca que su familia tenía. El papá de Joe era un pescador y estaba orgulloso de su trabajo porque, la pesca, había sido parte de la familia por generaciones. Había trabajado duro para expandir el negocio y soñaba con que su hijo continuara con la tradición familiar.

Sin embargo, el simple olor a pescado hacía que Joe se sintiera mal del estómago. Esto le impidió trabajar en el negocio de la pesca. Su papá le dijo que era un haragán y que "no servía para nada". Joe intentó superar el problema estomacal. Pero aunque lo intentó no pudo aprender a tolerar el olor a pescado. También procuró trabajar en el negocio reparando las redes. Pero el fuerte olor a pescado estaba impregnado en las redes. En consecuencia, su estómago nauseabundo no se lo permitió hacer.

Por último, abandonó con pesar el negocio de la pesca. Era totalmente consciente de que esto le causaba una gran desilusión a su padre. En una oportunidad, llevado por la desesperación, decidió dedicarse al béisbol. Le gustaba de verdad el juego y parecía tener talento para eso. A pesar de la negativa de su padre, se dio cuenta de que su verdadero talento era obviamente jugar béisbol. Por otra parte, los New York Yankees se pusieron muy contentos de que Joe DiMaggio tuviera un problema estomacal y de que no fuera parte del negocio de la pesca que su familia tenía.

Como usted sabe., Joe DiMaggio se convirtió en uno de los más grandes jugadores de béisbol. Obtuvo el récord en la liga mayor en 56 juegos consecutivos. Tres veces fue el jugador más valioso de la liga americana. Dos veces fue campeón de bateo de la liga americana. Sin mencionar que ganó nueve campeonatos mundiales jugando para los New York Yankees. Tenga presente que el obstáculo de Joe le provcyó una oportunidad para el éxito.

Si él no hubiese tenido tal problema estomacal, nunca habría descubierto su verdadero talento. Estoy seguro de que su padre cambió de opinión y dejó de pensar que Joe "no servía para nada".

Mi amigo o amiga, con la ayuda de Dios, podemos aprender a ver los obstáculos como oportunidades potenciales. Porque gracias a la resurrección de Jesucristo podemos experimentar la promesa de que "para Dios todo es posible". En realidad, el mayor obstáculo al que todos nos enfrentamos es nuestra necesidad de reconciliarnos con Dios. Sin embargo, este obstáculo se convierte en una gran oportunidad para aprender del increíble amor de Dios hallado en Jesucristo nuestro Señor. La Biblia dice en Romanos 5:8:

Mas Dios muestra su amor para con nosotros, en que siendo aún pecadores, Cristo murió por nosotros.

Sí, Dios lo ama a usted hoy. Vio que su vida es lo suficientemente valiosa y entregó a su propio Hijo para darle la oportunidad de experimentar una relación personal con Dios. Simplemente afirme su fe en el Señor al decirle que cree que Jesús murió y resucitó por usted.

Recuerde: "A los que aman a Dios todas las cosas les ayudan a bien" Por lo tanto, no tema la próxima vez que usted "se encuentre contra la pared". Simplemente aproveche la oportunidad para confiar en que Dios derrumbará las "paredes de obstáculos" que usted tenga, de la misma manera que derribó "las de Jericó." Después de todo, el obstáculo que al principio le causó a usted su propio "problema estomacal" podría ser lo que Dios le brindó para que probara "el dulce sabor del éxito". Sí, mantenga sus ojos en Cristo y Él lo ayudará a convertir cada obstáculo en una oportunidad potencial.

Capítulo 2

La confianza significa: Créalo y lo logrará

La confianza es una cualidad importante de un verdadero campeón. La confianza es la cualidad interior que ordena en silencio el respeto por los demás. La confianza es una cosa extraña. Si usted no la tiene, nadie puede dársela. Sin embargo, si usted tiene una confianza interior, nadie puede quitársela. Sí, la confianza significa: Créalo y lo logrará.

Creo que el creyente en Cristo debe ser una persona que tiene confianza. Jesús dijo en Mateo 19:26: "mas para Dios todo es posible". Sí, aprender a mirar la situación por medio de la lente de la Escritura y de los ojos de la fe aumentará su confianza.

Primero, sabrá que pertenece al equipo ganador. Después de todo,

1 Corintios 15:57 dice:

Mas gracias sean dadas a Dios, que nos da la victoria por medio de nuestro Señor Jesucristo.

Así es mi amigo, la resurrección de Jesucristo determinó la victoria de una vez y para siempre. El enemigo ha sido derrotado y el creyente es victorioso. El creyente puede tener la certeza de que Jesús ha vencido al pecado, la muerte y el infierno mismo. Jesús murió y resucitó para darnos el perdón de los pecados, un hogar en el cielo, la victoria sobre nuestro enemigo, y el poder de la resurrección de Cristo en nuestra vida en la Tierra.

El cristiano debe implantar esta frase en su mente: "mas para Dios todo es posible". El creyente debe ser un agente de cambio positivo en nuestro mundo negativo. Los cristianos tienen la perspectiva de ver la situación no simplemente tal como es, sino como debería ser con la ayuda del Señor. El creyente tiene el poder de Dios para ver el potencial que lo rodea.

El creyente puede vivir una vida que tiene la marca de la confianza en Dios. Después de todo, conocemos sus obras poderosas del pasado y creemos que Dios aún sigue obrando hoy. Hebreos 13:8 dice:

Jesucristo es el mismo ayer, y hoy, y por los siglos.

El cristiano que tiene una actitud positiva no tiene temor para aceptar un gran cambio. La confianza interior está basada en su relación personal con el Señor. Acepta la oportunidad que se le presenta al tener que vencer un gran obstáculo. Ha aprendido a: intentar grandes cosas por Dios, aceptar grandes cosas para Dios y lograr grandes cosas con la ayuda de Dios.

Las palabras de Jesús dicen: "Mas para Dios todo es posible", y para el creyente con una actitud positiva, no son habladurías inútiles. Son palabras que lo inspiran. "Créalo y lo logrará". Saber que las montañas no son algo de lo cual hay que alejarse. Los creyentes eligen escalarlas, realizar una caminata, hacer un túnel o simplemente convertirlas en una mina de oro.

La gente que confía ve el potencial en cualquier situación. Se concentra en la posibilidad y no en el problema. El grandioso ex mariscal de campo Johnny Unitas dijo sobre la confianza: "Hay una gran diferencia entre orgullo y confianza. El orgullo es hacer alarde de uno mismo. La confianza significa creer en que uno puede hacer el trabajo. Siempre creí que podía hacer el trabajo".

Mi amigo, me gusta la perspectiva que Johnny Unitas tiene sobre la confianza. ¿Por qué no desarrollar una confianza que lo lleve a hacer el trabajo? En especial para el creyente en Cristo.

Después de todo el creyente tiene el poder de Dios en su vida. Josué 1:9 dice:

Mira que te mando que te esfuerces y seas valiente; no temas ni desmayes, porque Jehová tu Dios estará contigo en dondequiera que vayas.

Está bien mi amigo. El cristiano tiene la gran promesa de vivir con la presencia del Señor. Esto aumentará su confianza. Usted puede cambiar su perspectiva mientras desarrolla una mirada penetrante.

Tal como el relato bíblico de David y Goliat. La gente negativa decía que Goliat era demasiado grande para que lo golpearan. Parece que el miedo y la negatividad van de la mano. Sin embargo, ¡David lo miró una vez a Goliat y le dijo que era demasiado grande como para errarle! Sí, la confianza y la fe positiva en Dios van de la mano también.

El apóstol Pablo dice en Filipenses 4:13:

Todo lo puedo en Cristo que me fortalece.

Sí, una persona con una actitud positiva y una fe personal en Dios dice: "Creo y lo lograré". La fuerza interior impulsa el alma y la lleva a metas nuevas. El éxito de hoy es simplemente la imposibilidad de ayer. Por lo tanto, saben que cosas aún mayores pueden darse en el futuro.

Mi amigo o amiga, muchas personas exitosas han aprendido a sobreponerse a los accidentes. Con frecuencia tuvieron que confiar en ellos mismos cuando los demás no lo hacían. Algunas veces eran los únicos que creían que el éxito estaba al alcance de ellas.

George Dantzig, por ejemplo hizo historia en el campo de la matemática unos años atrás. Resolvió los dos "problemas sin solución". En una semana logró lo que Albert Einstein no fue capaz de lograr en toda su vida.

Parece que cuando Dantzig estaba rindiendo su examen final para su maestría en matemática en la Universidad de Berkley en

California, estaba muy motivado para dar de sí lo mejor. Después de todo, la universidad le había ofrecido trabajo al estudiante que obtuviera la nota más alta en el examen final. La gran depresión había causado "tiempos difíciles" en todo el país y los trabajos escaseaban demasiado. Por lo tanto, estudió con firmeza porque necesitaba muchísimo el trabajo.

En realidad, estudió tanto y tan intensamente que ese día del examen llegó tarde a la clase. Por lo que desconocía las instrucciones que el profesor había dado para el examen. El profesor había dado un examen con ocho problemas. Y eso era todo. Luego, puso dos problemas en la pizarra y le dijo a los estudiantes que trataran de "jugar" con ellos por el resto de sus vidas. Les explicó que Einstein mismo no pudo resolver estos dos problemas matemáticos.

Como Dantzig había llegado tarde, no se había dado cuenta de que los problemas de la pizarra no eran parte del examen. En consecuencia, cuando terminó de resolver los ocho problemas, comenzó a trabajar en los de la pizarra. Naturalmente, luchó con los problemas y pidió más tiempo para terminar el examen.

El profesor le dio unos días más para terminarlo. George trabajó día y noche en los siguientes días para resolver los problemas. Necesitaba el trabajo y estaba obligado y decidido a resolverlos. Tenía fe en su destreza matemática y confianza de que encontraría las respuestas correctas a los problemas.

Por último, llegó a una extraordinaria conclusión y resolvió el primer problema. Esto lo inspiró para resolver el otro. Seguro de sí mismo, logró su meta. ¡Sin embargo, no se dio cuenta de que había hecho historia en la matemática!

El profesor quedó sorprendido cuando Dantzig le entregó el examen con todos los problemas resueltos. Le explicó a Dantzig que los dos problemas de la pizarra nunca fueron parte del examen. ¡El profesor estaba extremadamente entusiasmado cuando le comunicó a George Dantzig su logro matemático! También le aseguró que obtendría su trabajo enseñando matemática.

Piénselo. George Dantzig no se limitó debido a que desconocía que los problemas eran considerados "sin solución". Logró lo "imposible" debido a que tenía confianza en que si "creía lo lograría". Impactó este mundo y logró la fama debido a que estableció una meta basada en su propio conocimiento matemático. Tenga presente que no contaba con la ayuda de una computadora. Lo hizo a la antigua. Usó su mente y se propuso alcanzar el éxito.

Mi amigo, usted puede lograr grandes cosas también. Jesús dijo en Marcos 9:23: "Al que cree todo le es posible". Mantenga su confianza en el Señor y establezca metas que lo lleven a lograr el éxito. Siempre recuerde que la confianza significa: "Créalo y lo logrará".

Capítulo 3

El aliento significa: Busque lo bueno y lo encontrará

Quiero considerar el importante tema del aliento. Seamos realitas, todos necesitamos "una palmada en la espalda" o una ocasional "dosis de estímulo". El aliento simplemente expresa: "Busque lo bueno y lo encontrará".

Proverbios 12:25 dice:

La ansiedad en el corazón del hombre lo deprime; mas la buena palabra lo alegra.

La palabra "ansiedad" o "congoja" denota una interesante ilustración en la Biblia. Describe una vestimenta que se rasga por las costuras. También da la idea de dos animales atados a algo y tratando de halar en direcciones opuestas.

La descripción es muy clara. La ansiedad hace que una persona se sienta despedazada. Podría sentir que su salud emocional se está desmoronando. Es una sensación de que "se está rasgando por las costuras"; porque causa gran depresión al espíritu. Puede ser un sentimiento de desesperanza y vulnerabilidad. La preocupación es muy perjudicial para la mente.

La preocupación hace que nuestros problemas parezcan más grandes de lo que en realidad son. La ansiedad hará que se establezcan "monstruos imaginarios" en nuestra mente. Edificaremos montañas imaginarias de colinas diminutas. Todo comenzará a derrumbarse a medida que nos preocupamos y hacemos más grandes los problemas.

Acá se da un hecho sorprendente. Dios dice que una simple

palabra amable puede alentar a alguien. Una palabra buena puede alentar a alguien a "salir" de su pobre estado mental. Una palabra amable puede inspirar a alguien dándole valor y esperanza. Una perspectiva positiva puede surgir de una palabra positiva de afirmación.

Mi amigo, digamos que cada persona acarrea dos baldes, uno con gasolina y otro con agua. Podemos verter el balde con gasolina o con agua donde elijamos.

Por ejemplo, la persona negativa verterá su balde con gasolina sobre la chispa de la negatividad. Esto causará actitudes negativas que se esparcirán como un fuego catastrófico. Luego se volteará y derramará el balde con agua sobre la chispa positiva. Esto extinguirá cualquier esperanza o aliento.

Sin embargo, la persona positiva verterá su balde con gasolina sobre la chispa de la esperanza y la inspiración. Esto hará que la gente espere con interés un futuro brillante. Creen de verdad que lo mejor aún está por llegar. La persona positiva también verterá su balde de agua sobre la chispa negativa. De inmediato extinguirá el espíritu de desaliento y desesperación. Las personas positivas influyen en otras dándoles aliento.

Proverbios 18:21 dice:

> *La muerte y la vida están en poder de la lengua, y el que la ama comerá de sus frutos.*

En resumen, las personas positivas han aprendido a ver que lo bueno siempre acarrea fruto. Cuando la vida les ofrece un limón, ellas hacen limonada. Aprovechan lo mejor de cada situación. Lo que es más importante, la gente positiva siempre hace resaltar lo mejor de las otras personas.

Créamelo. Cuando usted está con una persona halagüeña, se dará cuenta. Dicho sea de paso, cuando usted es una persona halagüeña, los demás también disfrutarán estar con usted.

Sí: "La muerte y la vida están en poder de la lengua, y el que la ama comerá de sus frutos". Creo que hemos decidido qué tipo de "fruto" queremos que den nuestras palabras. ¿Queremos que nuestras palabras sean como un "fruto putrefacto" que cause enfermedad a alguien o preferimos que nuestras palabras sean como un "buen fruto" que brinden sanidad emocional a los demás?

Mi amigo o amiga, por eso es tan importante proteger el corazón. Después de todo, Jesús dijo: "Porque de la abundancia del corazón habla la boca". Sí, nuestras palabras simplemente indican en qué se concentran nuestra mente y nuestro corazón.

Por eso la Palabra de Dios nos instruye a alimentar nuestra mente con pensamientos positivos. Filipenses 4:8 dice:

> *Por lo demás, hermanos, todo lo que es verdadero, todo lo honesto, todo lo justo, todo lo puro, todo lo amable, todo lo que es de buen nombre; si hay virtud alguna, si algo digno de alabanza, en esto pensad.*

Sí, ponga cosas buenas en su mente. Alimente sus pensamientos con los aspectos positivos de la vida. Concéntrese en la bondad de Dios. Mantenga una actitud positiva y use palabras agradables. Esto es mucho mejor que cualquier inyección venenosa de una actitud negativa. La gente se beneficiará cuando usted "busque lo bueno y lo encuentre".

Sabe, años atrás estudié en el Instituto Bíblico Moody en Chicago, EE.UU., para obtener mi licenciatura en ministerio. Nunca olvidaré mi primera clase. Se llamaba "excelencia en el liderazgo" y la enseñaba el Dr. Thomas Stevenin.

El primer día de clase cada uno se presentó a sí mismo y dijo dónde estaba sirviendo en el ministerio. Estábamos matriculados en un programa con un estilo modular y había personas de todas partes del país. Iríamos a Chicago por una semana para recibir capacitación intensiva, luego completaríamos el trabajo adicional para la clase y lo enviaríamos por correspondencia.

Había 45 pastores en la clase provenientes de diferentes lugares de Estados Unidos. Cada uno mencionó su nombre y el de la iglesia donde trabajaba. El Dr. Stevenin se sonrió y nos agradeció por presentarnos.

Luego comenzó a dar la clase sobre liderazgo. El Dr. Stevenin era un hombre de negocios, cristiano y socio en una prestigiosa firma consultora. Los principios de liderazgo que se enseñaban eran excelentes.

A pesar de que su método de enseñanza y estilo de administración eran algo monótonos. Luego hizo algo que captó mi atención por el resto de la semana. Después de una hora de clase en la primera sesión, me sonrió y me dijo: "Permítanme asegurarme de que realmente conozco a cada uno de ustedes". Lo que hizo a continuación me dejó de verdad asombrado. Nombró a cada uno de los 45 pastores por nombre y apellido y dijo, sin equivocarse, el lugar donde servían en el ministerio.

Créame, este hombre tiene mi atención absoluta. Fue una remarcable demostración de brillantez y concentración. Después de todo, nos había conocido hacía una hora.

Sin embargo, su historia personal fue aún más increíble. Avanzada la semana, nos enfatizó la importancia del aliento. Destacó que el cariño afirmativo y el aliento hacen resaltar lo mejor de los demás.

Después nos contó cómo su maestra de cuarto grado, Nettie, había influido en él. Hasta entonces, él no sabía escribir su nombre. La gente lo llamaba Tommy, pero él lo escribía "YMOT". La escuela lo había diagnosticado con un problema de retardo mental severo y quería que se lo llevaran. Sin embargo, sus padres insistieron en que se quedara en la escuela. Ninguna maestra lo quería, con excepción de Nettie. A ella le encantaba enseñar y quería a sus estudiantes.

Un día le pidió a Tommy que se quedara después de clase. Lo miró y le dijo que tenía una mente maravillosa. Tommy se quedó pasmado. Después de todo, estaba en cuarto grado y no podía ni siquiera escribir su propio nombre. Luego, Nettie llegó a un sorprendente acuerdo con Tommy. Le dijo que le pondría una buena nota en todas las materias si aprendía a escribir su nombre correctamente seis veces corridas.

Tommy trabajó y trabajó. Nettie lo invitó a su casa los sábados a la tarde. Le dio todo tipo de aliento y atención especial. Finalmente, aprendió a escribir su nombre. Nettie le puso una buena nota en cada materia.

Al año siguiente, el primer día de clase lo sorprendió. La Sra. Nettie estaba allí en la clase de quinto grado. Fue la única vez en 40 años que ella enseñó en un quinto grado. Una vez más, Nettie trabajó y trabajó con Tommy.

Hasta que llegó a ser un estudiante modelo. Luego, le diagnosticaron que era disléxico. Aprendió a corregir sus problemas y finalmente obtuvo su doctorado.

El Dr. Stevenin dice en su libro titulado *"People Power"* (Poder de la gente), que le debe todo su éxito a Nettie Weirdenmann, su maestra de cuarto y quinto grado. Ella conocía el valor del aliento y de verdad obtuvo lo mejor de él.

El Dr. Stevenin está ahora con el Señor pero su influencia aún permanece. La instrucción que recibí de él sobre el aliento me ha hecho un mejor pastor y líder. Estoy agradecido por la influencia de sus enseñanzas en mi vida.

Mi amigo o amiga, sea una persona positiva y anime a alguien hoy. Recuerde que el aliento significa: "Busque lo bueno y lo encontrará".

Capítulo 4

Los campeones hacen un esfuerzo extra, no dan pretextos

Los campeones son personas que tienen una cualidad inmensurable llamada "corazón". Esta les da el poder para perseverar en medio de cualquier dificultad y desafío. La persona que ha sido derribada 100 veces y se levanta 99 veces es increíble. Sin embargo, la persona que se levanta 100 veces es invencible. Los campeones hacen un esfuerzo extra, no dan pretextos.

Gálatas 6:9 dice:

No nos cansemos, pues, de hacer bien; porque a su tiempo segaremos, si no desmayamos.

Sí, los campeones en la vida "continúan intentándolo". Cuando se enfrentan a un desafío, se rehúsan a abandonarlo. Viven según el principio que dice: "Cuando las cosas se ponen difíciles, los difíciles entran en acción". La palabra abandonar no está en su vocabulario. Vince Lombardi dijo: "No se trata de que te derriben sino de si te levantas o no".

Los campeones en la vida llaman al talento: t-r-a-b-a-j-o. Se dan cuenta de que el éxito no tiene atajos. Proverbios 13:4 dice:

El alma del perezoso desea, y nada alcanza; mas el alma de los diligentes será prosperada.

Sí, el trabajo duro y la firmeza para tener éxito van de la mano. El verdadero campeón obtiene el éxito "a la antigua", trabaja para lograrlo.

Los campeones desarrollarán una actitud positiva. Lucas 1:37

dice: “Porque nada hay imposible para Dios”. Sí, el éxito siempre comienza con la actitud.

Recuerdo la exitosa historia de Rocky Bleier. Él es un clásico ejemplo de arduo trabajo con todo el corazón. Jugaba al fútbol en la universidad de Notre Dame y tenía un gran deseo de jugar profesionalmente. En 1968, Rocky Bleier jugaba para Pittsburgh Steelers. Sin embargo, fue reclutado por el ejército y lo enviaron a Vietnam.

Mientras servía a su país con heroísmo, Rocky fue herido trágicamente. Una granada le destrozó la planta del pie derecho. Su pierna derecha fue despedazada con una granada de metralla y le balearon la cadera izquierda. Se le declaró una incapacidad del 40%.

Los doctores le dijeron que su carrera futbolística había terminado. Sin embargo, Rocky no abandonó su sueño de jugar en la NFL (Liga Nacional de Fútbol Americano). Estaba dispuesto a perseverar. Prefirió llamar al talento: t-r-a-b-a-j-o. Decidió hacer un esfuerzo extra, no dar pretextos.

Por lo tanto, Rocky usó un calzado especial para su pie derecho y comenzó su camino hacia el éxito. Se levantaba temprano y corría cada día. Levantaba pesas por la tarde y volvía a correr a la noche. Era un entrenamiento exhaustivo y se esforzaba más allá de sus límites humanos.

En 1970, apareció en el campo de entrenamiento de los Pittsburgh Steelers. Rocky rengueaba muchísimo, pero se rehusó a marcharse. Fue una inspiración para cada integrante del equipo. Pero fue el último jugador ese año. Lo intentó otra vez en la temporada siguiente y se desgarró los tendones de la corva en la pierna en donde lo habían baleado. Los doctores y lo entrenadores se ahorraron sus palabras tratando de explicarle que debería renunciar.

Finalmente en 1972, Rocky pasó a ser parte de la unidad de

equipos especiales. Para sorpresa de todos, corría más rápido que antes de haberse lesionado. En 1974, estuvo detrás de la línea delantera junto a Franco Harris. En 1976, Rocky Bleier corrió más de 1000 yardas (914 m).

Al negarse a abandonar su práctica estableció las bases para un éxito increíble. Rocky Bleier fue un jugador clave para los Pittsburgh Steelers en la década de 1970, ¡juntos conquistaron el fútbol profesional y ganaron cuatro campeonatos del Super Bowl en Estados Unidos!

Mi amigo, los campeones hacen un esfuerzo extra, no dan pretextos. La mayoría de las personas se dan por vencidas y "tiran la toalla". Sin embargo, la diferencia entre lo "común" y lo "grandioso" es una simple palabra "perseverancia". La habilidad para rehusarse a permitir que una situación negativa destruya su espíritu positivo. El aliento para enfrentar el desafío con fe y no amedrentarse.

Salmos 27:13-14 dice:

Hubiera yo desmayado, si no creyese que veré la bondad de Jehová en la tierra de los vivientes. Aguarda a Jehová; esfuérzate, y aliéntese tu corazón; sí, espera a Jehová.

Sí, una persona de fe positiva creerá en un Dios poderoso que lo sostendrá en medio de las dificultades. Dios le dará aliento para enfrentar el futuro y la fe para creer que "lo mejor está aún por venir".

Uno de mis pasatiempos favoritos es ser entrenador. Me encanta. He sido entrenador de fútbol, básquetbol y de fútbol americano en diferentes ligas. Me encanta ser entrenador porque me brinda la oportunidad de enseñar sobre la vida.

Me encanta el desafío que me presentan los jóvenes atletas dispuestos a trabajar duro. Disfruto enseñarles a esas mentes entusiastas cómo el trabajo arduo y la disciplina valen la pena en el atletismo y también en la vida. Nos divertimos, pero también aprendemos cómo disciplinarnos cuando no es divertido. El resultado final es un desempeño firme. En mi opinión, también es una buena manera de aprender a tener autoestima por medio del trabajo arduo y de lo logrado. Es conmovedor desarrollar la confianza en los atletas y soltarlos a medida que aprenden a creer en sí mismos.

Creo que los campeones en la vida son personas que desarrollaron una actitud ganadora y se rehusaron a dar pretextos. El camino fácil en la vida está pavimentado con los pretextos de los perdedores. Sin embargo, el camino difícil que conduce al éxito está guiado por personas que hacen un esfuerzo extra y no dan pretextos.

Uno de los eventos importantes sucedió hace unos años cuando entrenaba a un equipo de fútbol americano rocket. Tuvimos un grupo de niños de quinto y sexto grado y logramos que pasaran a la liga de fútbol americano tackle. Ninguno de los niños tenía experiencia previa. Sin embargo, iríamos a jugar contra otros equipos que ya tenías tres o cuatro años de estar juntos. Por lo tanto, sabíamos que teníamos que hacer un esfuerzo extra para competir con equipos de más experiencia.

Nuestro lema para la temporada era: “Los campeones hacen un esfuerzo extra, no dan pretextos”. Practicamos lo fundamental para establecer las bases del fútbol. Lo más importante, aprovechamos cada oportunidad para comparar al fútbol con el juego de la vida.

En cada práctica tendríamos la oportunidad de instruirlos sobre la entereza. Nuestra meta era valernos del fútbol para desarrollar una actitud ganadora. ¡A los padres les fascinaba! Se sonreían y asentían con la cabeza en un gesto de aprobación cuando le enseñábamos valores y pericias de la vida.

El resultado fue el triunfo. Es más, ¡el equipo fue invencible!

La culminación de nuestros esfuerzos tuvo lugar en el último juego del campeonato. Retrasados en el último cuarto, los niños dirigieron la pelota 87 yardas (80 m) en los últimos dos minutos y veintidós segundos del juego. Se anotaron un tanto que los hizo ganar en los últimos veintitrés segundos que quedaban de juego.

¡Estábamos eufóricos! Después del juego, todos los padres y los aficionados rodearon al equipo ganador. Reevaluamos el principio que dice: Los campeones hacen un esfuerzo extra, no dan pretextos. Fue un logro excepcional y una lección de vida que los niños nunca olvidarán. Mi hijo, Jacob, estaba en el equipo y aún lo recordamos tiernamente.

Agasajamos al equipo en la iglesia donde yo era pastor. Más de 700 personas aplaudieron estrepitosamente por el desempeño y la actitud que demostraron al obtener tal logro. Los padres y los abuelos los miraban con orgullo mientras atesoraban dichos momentos en la memoria.

Mi amigo o amiga, ¿se enfrenta usted hoy a un desafío? Mire a Dios a través de los ojos de la fe. Él escuchará su petición. Dios dice en Jeremías 33:3:

> *Clama a mí, y yo te responderé, y te enseñaré cosas grandes y ocultas que tú no conoces.*

Así es, Dios está dispuesto a escuchar y responder la oración. Dios hará cosas en su vida que va más allá de lo que imagina. Por lo tanto, establezca una meta y no permita que lo desvíen. Después de todo, Dios dice en su Palabra: "Porque a su tiempo segaremos, si no desmayamos". Dios lo ayudará a ser un campeón en el juego de la vida y lo facultará con un espíritu de perseverancia. Recuerde que los campeones hacen un esfuerzo extra, no dan pretextos.

Capítulo 5

Si quiere volar como un águila no puede pensar como un polluelo

El éxito o el fracaso se debe a una actitud mental. Las personas que piensan como ganadoras se convierten en ganadoras. Se rodean de personas que anhelan tener éxito. Después de todo, el éxito produce éxito.

La confianza se desarrolla en una atmósfera positiva donde las personas buscan hacer sus sueños realidad. Donde se establecen metas y se hacen planes. La energía y el entusiasmo florecen en el campo fértil del aliento.

Sí, si usted quiere volar como un águila no puede pensar como un polluelo. Mi amigo, una actitud mental positiva también es un principio bíblico. En Filipenses 4:8 en el Nuevo Testamento, la Biblia dice:

> *Por lo demás, hermanos, todo lo que es verdadero, todo lo honesto, todo lo justo, todo lo puro, todo lo amable, todo lo que es de buen nombre; si hay virtud alguna, si algo digno de alabanza, en esto pensad.*

Sí, Dios quiere que pensemos en cosas buenas. Una perspectiva positiva es una perspectiva espiritual. Es simplemente la manera correcta de pensar. Una perspectiva positiva lo ayudará en su camino al éxito.

La Escritura dice en Proverbios 23:7: "Porque cual es su pensamiento en su corazón, tal es él". En otras palabras, usted es lo que piensa. Nuestro raciocinio afectará directamente nuestro espíritu y nuestra voluntad para obtener logros. Una perspectiva positiva producirá buenos resultados.

Sin embargo, lo opuesto también es cierto. Una perspectiva negativa lo derrumbará. Las personas que siempre dicen que no, se convierten en aniquiladores de sueños. Las ideas de Dios se descartan antes de que puedan convertirse en planes. La mediocridad se convierte en la norma. El miedo al fracaso mantiene a las personas alejadas del dulce sabor del éxito. La idea se echa a perder en el bote de la basura del negativismo. Las personas simplemente no quieren volar como un águila cuando piensan como un polluelo.

Hay un legendario relato sobre un granjero que encontró un huevo de águila. Por alguna razón el huevo de águila fue a dar sobre el suelo del patio de la granja. El granjero levantó el huevo y pensó erróneamente que era uno de gallina. En consecuencia, llevó el huevo al gallinero y lo puso con los demás en el nido de la gallina.

La mamá gallina cubrió al huevo con sus alas. Lo protegió como a los demás. El huevo de águila se pudo desarrollar en su período de incubación sin problemas.

A su tiempo los polluelos rompieron el cascarón. Entre los polluelos había un pequeño bebé águila. Sin embargo, el águila pensó que era un polluelo. Mientras crecía, imitaba las conductas de los polluelos. Andaba como un polluelo y actuaba como un polluelo. La pobre águila aprendió a cloquear y a rascar como un polluelo.

Debido a que pensaba y actuaba como un polluelo no pudo aprender a volar como un águila. Andaba por la granja moviendo sus alas como si fuera un polluelo. La pobre águila solo volaba unos pocos pies. No se había dado cuenta de que era capaz de volar en la altitud del cielo. El águila comía, andaba y piaba como un polluelo porque creía que era uno. Después de todo, había estado rodeada de polluelos toda su vida. El águila no tenía motivo para creer que no fuese un polluelo.

Un día la pequeña águila miró el cielo y contempló un ave volando en el aire. Esta ave estaba volando más alto de lo que podía imaginarse. Era una criatura majestuosa para contemplar.

La pequeña águila le dijo a los polluelos: "Quisiera volar como esa ave cuando crezca. Miren como vuela en círculos muy arriba del suelo". Todos los polluelos se rieron y dijeron: "No seas tonta, esa en un águila y tú eres un polluelo. ¡Nunca podrás volar de esa manera!"

Sin embargo, el águila continuó estudiando el vuelo de aquella ave. Y decidió intentarlo. Para su sorpresa, comenzó a levantarse algo más de unos pocos pies en el aire. Continuó volando más y más alto. De repente, voló como un águila. En el cielo miró bien al ave que la había motivado a volar tan alto.

Hete aquí que se dio cuenta de que eran iguales. Se sorprendió al descubrir que era un águila y no un polluelo. Toda su vida había estado viviendo sin ejercer sus destrezas porque no había descubierto su verdadero potencial. Había estado rodeada de polluelos y pensaba como uno de ellos.

Su raciocinio la detuvo. No le permitió elevarse sobre la muchedumbre. Estaba viviendo en la mediocridad en lugar de responder a su destino superior. Finalmente aprendió a pensar como un águila y a volar como un águila porque era un águila.

Mi amigo o amiga, si usted quiere volar como un águila no puede pensar como un polluelo. No preste atención a las influencias negativas del mundo. No mire a su alrededor, mire por encima de usted. Mire a Dios y deje que Él motive su vida. La Biblia dice en Isaías 40:31:

> *Pero los que esperan a Jehová tendrán nuevas fuerzas; levantarán alas como las águilas; correrán, y no se cansarán; caminarán, y no se fatigarán.*

Sí, Dios tiene la fuerza espiritual para energizar su vida. Dios puede bendecir su vida más allá de lo que usted imagina. Él hará que vuele como el águila a un nivel que usted una vez consideró imposible. Usted pondrá su mirada por encima de la mediocridad. Dios puede hacerlo capaz de alcanzar nuevos horizontes y de desarrollar el potencial que le dio.

Primero, debe tener una relación adecuada con Dios. La Biblia dice en Juan 1:12:

Mas a todos los que le recibieron, a los que creen en su nombre, les dio potestad de ser hechos hijos de Dios.

Sí, usted se ha convertido en un hijo de Dios al invitar a Jesús a su vida. Simplemente diciéndole a Dios que cree que Jesús murió por sus pecados y resucitó. Luego deposite su fe y confianza en Cristo para que le dé el regalo gratuito de la vida eterna.

La Escritura dice en Efesios 2:8-9:

Porque por gracia sois salvos por medio de la fe; y esto no de vosotros, pues es don de Dios; no por obras, para que nadie se gloríe.

Una vez que tiene a Cristo en su vida, usted cuenta con todos los beneficios que Él ofrece. Usted tendrá el perdón de pecados, un hogar en el cielo y una nueva fuerza para vivir en el mundo. Dios lo ayudará a descubrir su verdadero potencial. La Biblia cobrará vida en usted y la oración tendrá un nuevo significado.

Esto lo ayudará a tener un enfoque positivo y a desarrollar una actitud positiva. Su vida tendrá un significado nuevo y un propósito claro. Al mirar a Dios, aprenderá a volar como el águila.

CAPÍTULO 6

LA FELICIDAD ES UN SENTIMIENTO ESPIRITUAL

¿Está buscando usted la felicidad hoy? Bien, hay buenas noticias. Jesús dijo en Mateo 5:26:

Bienaventurados los que tienen hambre y sed de justicia, porque ellos serán saciados.

La palabra "bienaventurados" significa "felices, afortunados, satisfechos o contentos". Jesús dice que para ser feliz y estar satisfecho hay que tener hambre y sed de justicia. Por lo tanto, la felicidad es un estado espiritual mental.

Usted sabe, se dice que: "Somos lo que comemos". Podemos entender ese concepto en términos físicos. Seamos realistas, si comemos bien, nuestro cuerpo será saludable. Sin embargo, si comemos mal, nuestro cuerpo padecerá. Podríamos sentirnos aletargados y experimentar fatiga. Nuestra energía se agotaría debido a los malos hábitos de comer. Nuestro cuerpo necesita el alimento adecuado para funcionar al máximo de su rendimiento.

Bueno, la misma verdad se aplica a lo espiritual. En un sentido real, hablando espiritualmente, somos lo que comemos. El alma necesita digerir buen alimento espiritual. Nos beneficiamos en gran manera con una dieta espiritual apropiada. Experimentaremos una fuerza espiritual positiva de una alimentación espiritual adecuada.

La clave es desarrollar un apetito espiritual saludable. Aprenda a leer la Biblia y a orar para que Dios le hable a su corazón.

Reclame la promesa de Jesús cuando dijo en Mateo 5:6:

Bienaventurados los que tienen hambre y sed de justicia, porque ellos serán saciados.

La palabra "saciados" significa "satisfechos".

De la misma manera que un hombre hambriento se satisface con comida, usted también se satisfará espiritualmente. De la misma manera que un hombre sediento en el desierto se satisface con un trago de agua fresca, la palabra de Dios satisfará el alma.

Lea los cuatro evangelios: Mateo, Marcos, Lucas y Juan. Su alma se satisfará al mirar de nuevo al Salvador. Su corazón será alentado a medida que lea sobre el amor y la compasión de Dios por la gente. Será bendecido a medida que vea a Jesús demostrar su poder omnipotente.

Usted será desafiado a tener una visión mayor de su vida a medida que el poder de Cristo le sobre. Intentará hacer lo imposible cuando escuche que Jesús dice: "mas para Dios todo es posible". Se rehusará a aceptar la palabra imposible a medida que escucha a Jesús decir: "Porque nada hay imposible para Dios".

Tendrá una perspectiva nueva de la vida al escuchar a Jesús decir: "Tened fe en Dios". Su alma se renovará al ver que la mano sanadora del Maestro llega a las personas heridas. Su fe se fortalecerá al leer que Jesús calmó la tormenta en el mar simplemente diciendo: "Calla, enmudece".

Oh, mi amigo o amiga, tenga sed y hambre de una relación con Jesús y estará satisfecho. Vea a Jesús cuando se le presente cada necesidad. Nunca lo decepcionará.

La Biblia dice en Hebreos 12:2 que "puestos los ojos en Jesús, el autor y consumador de la fe, el cual por el gozo puesto delante de él sufrió la cruz, menospreciando el oprobio, y se sentó a la diestra del trono de Dios".

Sí, usted puede depender de Jesús para cada necesidad. Él murió por nuestros pecados y resucitó. Para Él fue un gozo comprar nuestro perdón con el sacrificio de la cruz. Al sufrir una dolorosa muerte, experimentó el gozo de reestablecer nuestra relación quebrantada con Dios.

Mi amigo, si usted tiene hambre y sed de una relación adecuada con Dios, Jesús satisfará su alma. Jesús dijo en Juan 6:35:

> *Yo soy el pan de vida; el que a mí viene, nunca tendrá hambre; y el que en mí cree, no tendrá sed jamás.*

Jesús ofrece una vida abundante y significativa. Su alma se satisfará con una relación con Cristo. Él le ofrece significado, propósito y dirección en esta vida. Jesús también le muestra una nueva manera de vivir. Seguir a Cristo implicará que algunas cosas tendrán que cambiar. Sin embargo, será un cambio para mejor.

Algunas personas tienen miedo de estudiar la Biblia y seguir la vida de Cristo. Tienen miedo de que Dios los convierta en unos infelices al tener que someterse a las enseñanzas bíblicas. Por lo tanto, cuando se enfrenten con un mandato que no va de acuerdo a su estilo de vida, querrán ignorarlo. No serán capaces de ver el beneficio de hacer el cambio adecuado de actitud o conducta.

Sin embargo, si tenemos hambre y sed de una relación con Cristo, también querremos vivir correctamente. Por lo tanto, es mejor que entendamos que los mandatos de Dios son para nuestro bien. En consecuencia, aprenderemos que la Biblia no es un libro de normas para hacernos sentir infelices, es una guía para que seamos exitosos.

El resultado será positivo. Experimentaremos el gozo de la obediencia y la satisfacción que Jesús ofrece para nuestra alma. Tendremos una actitud positiva hacia la Escritura a medida que nos regocijamos en la Palabra de Dios. Descubriremos que "la felicidad es un sentimiento espiritual".

Sabe, nunca me olvidaré de mi maestra de primer grado. Se llamaba la Sra. Goleen. Era una maestra excelente y una mujer maravillosa. Tengo lindos recuerdos de ella.

Nunca olvidaré mi primer día de clase. Cuando entré a la clase me recibió con una sonrisa y una cálida bienvenida. Era como una abuela para mí. Ella había enseñado durante muchos años y era una precursora en la educación. Era muy estricta con la disciplina pero tenía un espíritu noble. Ella nos enseñaba más que simplemente a leer y escribir. Nos enseñaba a llevarnos bien.

También era una mujer generosa. Su esposo tenía una máquina para fabricar algodón de azúcar y una vez al año venía a la escuela para darle algodón de azúcar a toda la escuela. Siempre era la atracción del año de la escuela.

Recuerdo cómo la Sra. Goleen oraba todos los días antes del almuerzo. Inclinábamos la cabeza y le agradecíamos al buen Señor por nuestra comida y por las demás bendiciones. Nunca olvidaré el día en que se paró frente a la clase y nos dijo que no se permitía más orar por la comida. Lágrimas caían por su rostro mientras nosotros no podíamos creer que se prohibiera la oración en la escuela. Le quebrantaba el corazón. Y a nosotros también.

La Sra. Goleen era una increíble mujer. Nos enseñaba la regla de oro: "Traten a los demás de la misma manera que deseen que los traten a ustedes". Aprendimos muchísimo con la Sra. Golden.

La Sra. Goleen también tiene su propia "regla de oro" cuando llegaba la hora del almuerzo en la escuela. Teníamos que probar dos bocados de comida antes de decir que no queríamos comer. Si alguien dejaba algo en su bandeja del almuerzo, ella siempre preguntaría: "¿Le has dado dos mordiscos a esa comida?" Si tenía dudas, se lo haría probar y esperaría a que lo trague.

Créame, comíamos dos bocados de todo. En consecuencia, una cosa extraña sucedió ese año, conocí el sabor de una variedad de comidas. Para mi sorpresa, descubrí que en verdad me gustaban muchas comidas que una vez pensé que nunca comería. Viéndolo desde esa perspectiva, ahora sé que ella quería lo mejor para mí.

Mi amigo o amiga, de igual manera, los mandatos de Dios son así. Tenemos la idea equivocada de que será horrible obedecer las enseñanzas bíblicas. Sin embargo, Dios sonríe y dice: Ven y prueba que el Señor es bueno.

Jesús dijo en Mateo 5:6:

Bienaventurados los que tienen hambre y sed de justicia, porque ellos serán saciados.

Una vez que nos sometemos a Cristo como Salvador y Señor, nuestra perspectiva cambia y nuestro apetito espiritual aumenta. Desarrollamos un apetito por la Palabra de Dios y tenemos sed del Espíritu de Dios. Aprendemos que solamente Jesús puede satisfacer el alma. Sí, cuando todo está dicho y hecho "la felicidad es un sentimiento espiritual".

Capítulo 7

Lo que soy determina lo que puedo hacer

Quiero hacerle una pregunta. ¿Cómo se ve usted? Su respuesta podría incluir muchísimas cosas referentes a su potencial para el éxito. Es un hecho que el éxito de una persona depende de la imagen que tiene de sí misma.

La Biblia dice en Salmos 139:14:

Te alabaré; porque formidables, maravillosas son tus obras; estoy maravillado, y mi alma lo sabe muy bien.

Sí, Dios es nuestro creador. Nos creó con un propósito. El Dios todopoderoso ha planeado su vida. Si usted se ve como una creación especial de Dios tendrá la confianza necesaria para tener éxito en cada área de su vida. Pablo dice en Filipenses 4:13:

Todo lo puedo en Cristo que me fortalece.

Una saludable autoimagen y una positiva autoestima establecen el camino hacia un futuro brillante. Esta persona que no tiene miedo de correr el riesgo de fracasar al intentar tener éxito. El fracaso no la destruye. Simplemente se transforma en un campo de entrenamiento y en un puntapié inicial para el éxito.

Sin embargo, alguien con poca autoimagen y autoestima no está dispuesto a darse la oportunidad de tener éxito. El temor y el fracaso los mantiene estáticos. Prefieren que las cosas sigan como estaban en un momento. Después de todo, cualquier intento para alcanzar una meta significa que también existiría la posibilidad de fracasar.

En consecuencia, es más fácil continuar por el camino ancho de la mediocridad en vez de ir por el camino angosto de la prosperidad. Sin embargo, la persona que logra el éxito en cualquier área en la que se esfuerza, por lo general, está motivada por una voz interior que le dice: "Usted ha sido creado por el Señor y tiene ese algo especial que le permite tener éxito". Sí, el yo soy determina que yo pueda.

Esto me recuerda un acontecimiento de los New York Yankees, llamado el equipo del millón de dólares, en 1977. George Steinbrenner se había cansado de que perdieran. Quería restaurar esta gran tradición de campeones que tenían. Habían sido los campeones y Steinbrenner deseaba recuperar el orgullo que el equipo le daba a la ciudad.

Entonces, fue y compró los mejores jugadores que el dinero puede comprar. Hombres como Reggie Jackson, Willie Randolph, Thurman Munson, Chris Chambliss, y varios otros grandes jugadores. Los salarios subieron cuando Steinbrenner armó su costoso equipo.

A pesar de esto el equipo estaba muy lejos del primer lugar. El equipo tenía poco espíritu y había demasiada disensión. Steinbrenner se dio cuenta de que se requería más que dinero para motivar a este tan talentoso equipo.

Entonces, los reunió. Fueron a los vestuarios y esperaron a que hablara el dueño colérico. Entró caminando tranquilamente y se paró en silencio para observar a su equipo de millones de dólares. Se podía cortar la tensión con un cuchillo.

Por último, Steinbrenner levantó en alto un uniforme. Se quedó parado sosteniendo el uniforme y comenzó a hablar de las rayas de los Yankees. Les dijo que muchos equipos habían cambiado de uniforme pero que esto no había sucedido con los New York Yankees. Las rayas representan una historia espléndida y una larga tradición de ser campeones. Se quedó allí firme como una roca sosteniendo el uniforme a rayas y hablando de muchos excelentes jugadores que lo habían usado en el pasado.

Comenzó con la descripción de Babe Ruth. Después de todo, al estadio se lo llamaba "el hogar que Ruth construyó". Luego habló de Lou Gehrig, o mejor conocido como "caballo de hierro". Steinbrenner mencionó hombres como Joe DiMaggio, Yogi Berra, Mickey Mantle y Roger Maris. Después de describir a estos increíbles famosos, Steinbrenner miró a su equipo millonario a los ojos y les gritó: "¡Ustedes usan este uniforme a rayas! Ustedes son los New York Yankees! ¡Jueguen como los New York Yankees!"

Luego se fue del vestuario. Como resultado de eso el equipo se recuperó y al final de la temporada ganó la serie mundial. Una vez que creyeron quiénes eran, comenzaron a jugar como campeones. Sí, el yo soy determina que yo pueda.

Mi amigo, esto me lleva a la pregunta del comienzo. ¿Cómo se ve usted hoy? ¿Se ve usted como un ser creado por Dios? ¿Sabe usted que Dios lo ama y que tiene un plan maravilloso para su vida? Así es, Dios lo creó con el propósito de tener comunión con Él. La Biblia dice que usted fue creado a imagen de Dios. Génesis 1:27 dice:

> *Y creó Dios al hombre a su imagen, a imagen de Dios lo creó; varón y hembra los creó.*

Ser creado a la imagen de Dios significa que usted tiene mente para pensar, emociones para experimentar y voluntad para elegir. Es un ser racional con una conciencia moral. En consecuencia, tiene la capacidad de tener comunión con Dios.

Ser creado a la imagen de Dios es un gran honor. Le agrega un valor increíble a la vida y un gran significado a su existencia. La autoimagen que usted tiene debe basarse en que usted es un diseño de Dios. Su vida fue creada con un propósito divino. Su autoestima debe basarse en el concepto de que Dios es su creador. Esto significa que la vida tiene un gran valor porque usted es importante para Dios. Descubrir esta verdad producirá un gran entusiasmo en su vida.

Como usted ve a los jugadores del New York Yankees se les recordó su gran tradición al usar los uniformes a rayas. El dueño del equipo tenía altas expectativas con respecto a la gran tradición ganadora de los Yankees. De un modo similar, nuestro Padre celestial espera que nosotros vivamos de acuerdo a nuestro potencial porque fuimos creados a imagen de Dios. No se equivoque mi amigo, el yo soy determina que yo pueda.

Capítulo 8

Decida ser de inspiración y no una molestia

Permítame hacerle una pregunta: ¿Qué clase de persona ha decidido ser en el futuro? Piénselo. La manera en que vivimos en realidad está determinada por las decisiones que tomamos. Hay un refrán que dice que "la vida no consiste en los sueños que soñamos sino en las decisiones que tomamos". Por lo tanto, permítame alentarlo a que tome una decisión positiva hoy. Decida ser de inspiración y no una molestia.

Podría estar preguntándose, ¿cómo puedo elegir ser de inspiración para los demás? Bien, creo que todos conocemos las cosas que irritan a la gente. Con frecuencia nos enfrentamos a eso, y en verdad requiere de poca explicación.

Pero, ¿ser de inspiración? ¿Qué tipo de cosas inspiran a los demás? Creo que podemos inspirar a la gente al usar tres principios básicos: Fe, esperanza y amor.

La Biblia dice en 1 Corintios 13:13:

> *Y ahora permanecen la fe, la esperanza y el amor, estos tres; pero el mayor de ellos es el amor.*

En primer lugar, la gente que quiere inspirar a otros desarrollará una fe positiva. Se dice que la fe inspira el éxito. Me gusta la manera en que Paul Harvey lo expresa: "Nunca vi un monumento erigido en honor a un pesimista". Es verdad, mucho de la vida depende de nuestra perspectiva de la vida. Usted puede ver el vaso de las dos maneras: medio lleno o medio vacío. Simplemente se trata de cómo vemos las cosas.

Sin lugar a dudas, si preferimos ser pesimistas, irritaremos nuestro espíritu y el corazón de quienes nos rodean. Sin embargo, si preferimos ser optimistas, animaremos a otros y también a nosotros mismos. Edifique la fe de los otros y usted será de inspiración para la gente. Las personas a quienes usted le cae bien querrán pasar tiempo con usted.

La fe positiva es de inspiración y la fe inspira el éxito. Jesús dijo en Mateo 17:20:

> *Por vuestra poca fe; porque de cierto os digo, que si tuviereis fe como un grano de mostaza, diréis a este monte: Pásate de aquí allá, y se pasará; y nada os será imposible.*

Mi amigo, una fe positiva es una fe que mueve montañas. Usted se encontrará con gente que se enfrentarán con desafíos que parecen montañas. Elija ser de inspiración para estas personas. Ayúdelas a ver que por medio de la fe en Dios, se pueden escalar las montañas, hacer túneles y hasta echarlas al mar. Los obstáculos se pueden quitar totalmente. Ayúdelas a que sigan el consejo de Jesús en Marcos 11:22 cuando dice: "Tened fe en Dios".

El primer principio para ser de inspiración a otros es edificarlos con una fe positiva. Luego, tenemos que animar a los demás con esperanza. Nunca debemos desestimar el poder de la esperanza. Después de todo, la esperanza produce éxito. Cuando la gente está motivada por el poder de la esperanza obtienen el ímpetu necesario para triunfar.

Usted ve este principio en el fútbol todo el tiempo. Un equipo queda detrás de otro. Parece que el juego se ha terminado. Luego viene la gran jugada. Y de repente todo cambia.

Casi se pueden predecir los hechos. Un equipo comienza a oler la esperanza de recuperarse. Pueden sentir el entusiasmo en el aire. El otro equipo comienza a tener miedo de que pierdan la ventaja. La esperanza decae.

¿Cuál es el resultado? La esperanza se transformó en una inspiración para los que se esforzaron. Creyeron que podían ganar y lo hicieron. La fe inspiró el éxito, mientras que la esperanza lo sostuvo. La gente no tira la toalla mientras haya esperanza.

Por eso los cristianos pueden perseverar en las pruebas de la vida. Tenemos el poder de la esperanza bendita de que nuestro Señor regresará. La Biblia dice en Tito 2:13:

> *Aguardando la esperanza bienaventurada y la manifestación gloriosa de nuestro gran Dios y Salvador Jesucristo.*

Sí, la esperanza da el poder de la perseverancia. La esperanza produce éxito. Usted puede ser de inspiración para los demás si los anima dándoles esperanza.

Por último, usted será una inspiración para los demás cuando los aliente con amor. La gente que demuestra amor por los demás edificarán la base para una relación de confianza. El amor dice: "Haré de tu problema, mi problema". El amor santifica el éxito porque está motivado en el servicio. La Biblia dice que "el amor nunca deja de ser".

Mi amigo o amiga, siempre tenemos que demostrar amor en este mundo. Las personas necesitan saber que Dios las ama y que usted también las ama. La Biblia dice en 1 Juan 4:8 que "¡Dios es amor!". La Biblia dice en Juan 3:16:

> *Porque de tal manera amó Dios al mundo, que ha dado a su Hijo unigénito, para que todo aquel que en él cree, no se pierda, mas tenga vida eterna.*

Sí, Dios lo ama a usted hoy.

Quiere que usted sea de inspiración para los demás al compartir su amor. El amor de Dios fue un amor sacrificial, porque Él dio a su Hijo por nosotros. Sí, podemos ser una inspiración para los demás a medida que nos convirtamos en el canal por el que fluya el amor de Dios.

En resumen, usted puede ser "un habitante de balcón" o "un habitante de sótano". Un habitante de balcón animará a la gente a lograr un nivel de vida superior. Las personas se concentrarán en los aspectos positivos de la vida y las inspirarán dándoles aliento. Animarán el espíritu de los demás y darán fuerza a los demás para que alcancen el éxito.

Los habitantes de sótano, por otra parte, siempre arrastrarán a la gente. Se concentrarán en lo negativo y continuamente le encontrarán el defecto a todo. Esto causará depresión y agotará la fuerza de la gente. Créame, usted podrá ver la diferencia entre un habitante de balcón y uno de sótano.

Sí, usted puede optar por ser de inspiración y no una molestia para los demás. Las personas comprometidas con la Palabra de Dios edificarán a los demás en la fe. Las personas que confían en el poder de Dios alentarán a los demás con esperanza. Las personas que son un canal de la compasión de Dios alentarán a otros con amor.

Sí, por medio de la fe, la esperanza y el amor, usted puede optar por ser de inspiración y no una molestia.

Capítulo 9

La fe dice: "Adelante, hágalo"

Permítame hacerle una pregunta: ¿Es usted la clase de persona que dice "adelante, hágalo" o "aférrese de lo que tiene"? En resumen, se trata de una perspectiva de la vida. Si usted se siente seguro y confía en Cristo, puede tener el valor para decir: "Adelante, hágalo". Corra el riesgo. Dispóngase a tener la oportunidad de un éxito mayor. Después de todo, la fe dice: "Adelante, hágalo".

Por otra parte, el miedo dice: "Aférrese de lo que tiene". No se arriesgue a perder lo que tiene por una oportunidad mayor. Las decisiones basadas en el miedo tienden a fracasar.

No me malinterprete. No estoy diciendo que no debe ser cauteloso. Estoy hablando sobre vivir una vida a pleno, con la confianza suficiente en uno mismo para desarrollar el potencial que Dios le dio. George S. Patton dice: "Correr el riesgo planeado, es distinto a ser un atropellado".

Básicamente, la fe busca la oportunidad para el éxito. Pero el miedo acarrea un potencial fracaso. La fe procura la satisfacción de haber conquistado la montaña. Mientras que el miedo, hace que la montaña lo venza a usted. La fe dice: "Adelante, hágalo". La fe hace posible sus sueños. El miedo, por otra parte, le teme a los sueños porque podrían convertirse en una pesadilla.

Mi amigo, la fe lo motiva a tener una perspectiva positiva mientras que el miedo es una fuerza negativa. La fe intenta atrapar la visión de ganar, mientras que el miedo procura solo reducir las pérdidas.

La Biblia dice en Hebreos 11:1:

Es, pues, la fe la certeza de lo que se espera, la convicción de lo que no se ve.

La fe en Dios no significa que todas las cosas van a estar totalmente claras. Dios dice que la fe incluye un aparente riesgo planeado. Es solo aparente porque siempre podemos confiar en Dios. En consecuencia, no hay nada de qué temer. Por eso la Biblia dice en 2 Timoteo 1:7:

Porque no nos ha dado Dios espíritu de cobardía, sino de poder, de amor y de dominio propio.

Dios no quiere que vivamos una vida basada en el miedo. Después de todo, el miedo producirá emociones negativas que le agotarán la fortaleza. El miedo inhabilitará el poder creativo que usted posee. Sin embargo, la fe libera una fortaleza positiva que hará que usted supere las pruebas de la vida. La fe le dará el valor para decir: "Voy a lograrlo" porque: "Todo lo puedo en Cristo que me fortalece".

Mi amigo, no se detenga y mire la vida pasar. "Viva por fe" y transforme al mundo con su actitud. El último John F. Kennedy dijo una vez: "Si una persona puede producir una transformación entonces cada persona debería intentarlo".

La fe en Dios le permitirá a usted transformar su mundo. La fe lo motivará con una pasión positiva para llevar a cabo los propósitos de Dios. Jesús dijo en Juan 15:8: ".En esto es glorificado mi Padre, en que llevéis mucho fruto".

Sí, Dios ha dispuesto que usted lleve fruto para que Él se gloríe. El fruto de Dios es todo: desde la demostración de actitudes positivas y el aliento a los desanimados hasta llevar a alguien a un encuentro con el Salvador. La clave para llevar fruto para Cristo está en que permanezcamos en Cristo.

Jesús dijo en Juan 15:7:

Si permanecéis en mí, y mis palabras permanecen en vosotros, pedid todo lo que queréis, y os será hecho.

Permanecer en Cristo es pasar tiempo con Él en oración, en el estudio bíblico y en la adoración. Esto edificará su fe. Le permitirá moverse de una mentalidad de "aférrese a lo que tiene" a "adelante, hágalo" para la gloria de Dios.

La fe le permitirá correr el riesgo del fracaso porque su seguridad está en Cristo. La fe causará que usted pueda declarar: "Si Dios es por nosotros, ¿quién contra nosotros?".

Lo fundamental acá es: De aquí a diez años, ¿quiere usted mirar el pasado y decir: "Ojalá lo hubiera hecho" o "me alegro de haberlo hecho"? La gente con mucha fe tiene la confianza necesaria para ser valiente en la vida.

En consecuencia, las personas de fe por lo general se convierten en "triunfadores". Las personas de fe se convierten en "gente extraordinaria" en un mundo ordinario. Las personas de fe se convierten en gente que dice "lo alcanzaré" y que obtiene grandes logros.

El mundo es mejor gracias a dichas personas. Cualquiera puede decir "aférrese de lo que tiene". Pero la gente que "alcanza" sus logros insta, con un entusiasmo positivo, a los demás a tener fe, y esto es contagioso.

Las personas que concretan sus logros son personas felices. No se arrepienten de no haberlo hecho. La fe que tenían en Dios los llevó a triunfar porque se animaron a hacerlo.

Permítame hablarle de una dama que se animó a sobreponerse. Su esposo había fallecido y era muy poco lo que le había dejado. Estaba desconsolada, era viuda y se enfrentaba al desafío de tener que continuar. Tenía que tomar una decisión: Podía encerrarse en la duda y el abandono, o intentar salir adelante.

Puede imaginarse el dolor que sentía y las lágrimas que derramaba. El amor de su vida había desaparecido. Nunca más se despertarían en la mañana y vería el rostro sonriente de él. Nunca más descansarían juntos a la noche. Nunca más podría disfrutar de una taza de café al lado del hogar. Nunca más disfrutarían de un vaso de té helado mientras permanecían sentados en el patio viendo el sol ponerse.

Sí, el corazón de esta dama estaba destrozado, pero, ¿qué haría? El único bien material que poseía era una tienda de golosinas que su esposo tenía y atendía. Ahora la tienda de golosinas estaba sobre su regazo.

¿Decidiría dejar las cosas como estaban o seguir adelante con fe y valentía para triunfar? ¿Estaría motivada por el miedo o por la fe?

Bueno, esta dama decidió que no sentiría lástima por sí misma ni que envejecería con resentimiento. Se dirigió decidida hacia la tienda de golosinas. Su fe la movilizó. Decidió mejorar el negocio e inventó unos chocolates. Hizo varias recetas nuevas y a los clientes le gustaron. La tienda de golosinas comenzó a expandirse como las llamas.

Como resultado, abrió una tienda tras otra. Continuó inventando nuevas recetas y abrió más tiendas de golosinas.

Esto dio origen a una cadena nacional de tiendas de golosinas. Sí, "Fannie May" decidió tener fe y se propuso "seguir adelante y hacerlo". No se conformó con quedarse simplemente con lo que tenía. Oh no, no Fannie May. Fue capaz de mirar atrás y de decir "me alegro de haberlo hecho".

Mi amigo o amiga, intente hacer que sus sueños sean realidad y siempre recuerde: La fe dice: "Adelante, hágalo".

Capítulo 10

La esperanza dice: "Lo lograré"

Salmos 71:5 dice:

Porque tú, oh Señor Jehová, eres mi esperanza, seguridad mía desde mi juventud.

La esperanza dice: "Lo lograré" Después de todo, nuestra esperanza es el Señor. La Escritura dice en Romanos 5:4 que "la perseverancia produce entereza de carácter; la entereza de carácter, esperanza".

Sí, la esperanza nos da el valor para permanecer firmes y comprometidos. La esperanza produce una motivación positiva y prepara el terreno para el camino al éxito. La esperanza dice: "Sopórtalo porque a su momento las cosas cambiarán a mi favor". La fe hace que la montaña se mueva y la esperanza nos sostiene hasta que suceda. La fe inspira el éxito y la esperanza lo sostiene.

Mi amigo, los líderes e innovadores de este mundo tienen una alma fogosa. Les apasiona ayudar a la gente a crecer y ser prominente. Los emprendedores saben que hay una diferencia entre el promedio y la excelencia. La esperanza motiva a esta persona a alcanzar el éxito. La fe hará que usted busque hacer sus sueños realidad y la esperanza lo sostendrá en medio de sus esfuerzos.

Roger Staubach fue un ejemplo de los más grandes mariscales de campo que hayan jugado fútbol. Era un jugador sobresaliente y también un gran líder. Le apasionaba dar lo mejor de sí.

También tuvo que superar situaciones adversas. Jugaba al fútbol a nivel universitario para la Academia Naval. Esto significaba que tenía que prestar servicio cuatro años en la marina después de que se graduara. Era un mariscal de campo sobresaliente. Ganó el trofeo Heisman en su penúltimo año. Tenía una gran destreza para hacer pases y había completado el 67% de sus pases. Era un año fenomenal.

Sin embargo, nadie creía que llegara a jugar profesionalmente. Nadie podía regresar al fútbol y tener éxito después de cuatro años en la milicia. Pero Roger Staubach sabía que tendría que dedicarse de lleno si quería lograr su meta.

En los siguientes cuatro años prestó servicio en la marina. Al mismo tiempo entrenaba muchísimo. Corría, levantaba pesas y entrenaba duro. Se esforzó para entrenar duro cada día.

Mantuvo la destreza necesaria para hacer los pases. Lanzó 400 pases cada día durante cuatro años. Practicaba los pases en la cubierta del transportador aéreo o en los polvorientos caminos de Vietnam.

En 1969, Roger Staubach tenía 27 años y era un novato para los Tom Landry y los Dallas Cowboys. Era el tercer mariscal de campo en la lista. Había dos veteranos excelentes delante de él. Las posibilidades de jugar profesionalmente eran muy pocas para Roger Staubach.

Pero su amor por el fútbol y su deseo de jugar estaban dirigidos por el poder de la esperanza. Su pasión lo llevó a perseguir su meta de excelencia. Después de la práctica se quedaba en el campo de juego para practicar con los más jóvenes. Cuando estaba verdaderamente exhausto se iba a los vestuarios.

Su amor por el juego lo llevaba más allá de las limitaciones humanas. Levantaba pesas con un deseo insistente. Cuando los jugadores se caían de agotamiento, él seguía entrenando. Su pasión era una inspiración para todos.

Finalmente, tuvo la oportunidad de llegar a la primera posición. Landry no podía retener al tan motivado Staubach. Mi amigo, el resto es historia. Staubach se convirtió en uno de los más grandes mariscales de campo de la historia del fútbol profesional. La razón era simple. Su esperanza lo sostuvo hasta alcanzar el éxito y le dio la confianza necesaria para lograrlo.

Roger Staubach también es cristiano. Tiene una relación personal con Dios por medio de su fe en Jesucristo. Estoy seguro de que estaría de acuerdo con lo que dice Romanos 5:5: "Y esta esperanza no nos defrauda, porque Dios ha derramado su amor en nuestro corazón por el Espíritu Santo que nos ha dado".

Mi amigo o amiga, mire a Jesús y ponga su fe en Él. Mantenga la esperanza en el Señor y vencerá cualquier desafío. Después de todo la esperanza dice: "Lo lograré".

Capítulo 11

El amor dice: "Daré todo de mí"

La Escritura nos dice en 1 Corintios 13:8 que "el amor nunca deja de ser". El amor en acción es el que "hace de tu problema mi problema". El amor purifica nuestra motivación y santifica nuestro éxito.

Jesús dijo en Juan 15:13:

Nadie tiene mayor amor que este, que uno ponga su vida por sus amigos.

Sí, el amor sacrificial nos motivará para poner todo en orden.

La Biblia dice en 1 Juan 4:11:

Amados, si Dios nos ha amado así, debemos también nosotros amarnos unos a otros.

Nuestro amor por los demás debe estar motivado porque nos hemos dado cuenta de que Dios es amor. Seguir el ejemplo sacrificial del amor de Dios nos facultará para sacrificarnos en pro del éxito. En esencia, el amor dice: "Daré todo de mí".

Recuerdo una increíble historia de amor sacrificial que sucedió años atrás. El 24 de septiembre de 1986 en Crystal River, Florida, EE.UU. Michael Morgret, de 12 años y su primo Kelly Thomas, de 14 años, estaban haciendo esnórquel en una laguna al fondo de la casa. Era una tarde calurosa y los dos primos disfrutaban de la refrescante natación.

Frente a la laguna estaba el Dr. Fernández descansando en su sillón. Miró a través de la ventana y vio a los dos muchachitos nadando juntos. Quizá le vino a la mente los tiempos en que él era niño y la vida no tenía complicaciones. Probablemente pensaba en los días en que él y sus amigos se refrescaban en un hoyo para andar.

De repente, volvió a la realidad es un estado de conmoción. Se horrorizó al ver que un enorme lagarto se metía en la laguna. No podía creer lo que sus ojos veían. El lagarto se dirigía sigilosamente hacia los dos muchachitos desprevenidos.

El Dr. Fernández corrió velozmente hacia la laguna. Les gritó, pero los muchachitos tenían la cabeza debajo del agua porque estaban haciendo esnórquel en la laguna. Comenzó a dar alaridos y a palmear a la orilla de la laguna. Quería alertar a los muchachos y a la vez distraer al lagarto. Pero sus esfuerzos fueron inútiles.

Luego, Kelly Thomas emergió a la superficie y oyó la conmoción. Le gritó a su primo para que nadara hacia la orilla. Kelly nadó y se quedó a salvo en la orilla pero para Michael Morgret la tarde se convertiría en una pesadilla que lo pondría entre la vida y la muerte.

Michael aún tenía la cabeza debajo del agua y desconocía por completo la peligrosa situación. Su madre, Jesse Morgret, estaba lavando los platos cuando oyó la conmoción. Miró por la ventana y su corazón se congeló por el terror. Vio al enorme lagarto dirigirse directamente hacia su hijo. El animal se lanzó sobre la cabeza y los hombros de Michael Morgret. El lagarto se apoyó sobre la cola y Jesse Morgret vio la cadera y las piernas de su hijo colgando de la boca del animal.

El lagarto después se hundió con el muchacho. Por lo general, dejan a la presa debajo del agua y vuelven a comerla un par de días después. El lagarto dejó a Michael Morgret en el fondo de la laguna. Cuando emergió a la superficie, Michael estaba completamente conmocionado. No tenía idea de qué lo había golpeado.

Su madre, su primo y su vecino le gritaban para que nadara

hasta la orilla. El muchachito vio el lagarto y se dio cuenta del peligro. Comenzó a nadar hacia la orilla para salvar su vida, donde su madre estaba parada.

Estaba casi por llegar cuando el lagarto se lanzó sobre sus piernas. De nuevo el animal intentó sumergirse. El muchachito estaba a punto de salvarse, pero ahora daba la impresión de que moriría.

Pero, lo que sucedió en los próximos minutos en esta sorprendente historia demuestran el poder del amor. Sería casi increíble si el Dr. Fernández no la hubiera visto con sus propios ojos. La madre se metió en la laguna para agarrar a su hijo de las manos.

Los siguientes cinco minutos se convirtieron en una pelea entre una madre de cinco pies (1,52 m) y 98 libras (45 kg) y un lagarto de once pies (3,45 m) y 400 libras (180 kg). Jesse Morgret intentó rescatar a su hijo. Se mantuvo con poder sobrenatural de una madre motivada por el amor. Se aferró a su hijo y se rehusó a abandonarlo. Lo salvaría o moriría en el intento.

De repente, el lagarto lo soltó y Jesse Morgret jaló a su hijo de entre las mandíbulas de la muerte. El lagarto se fue y las autoridades lo mataron luego. Medía once pies y pesaba 400 libras.

Jesse Morgret demostró que "el amor da todo de sí". De hecho, le dejó a su hijo dos cicatrices en las manos a las que se refiere como "las cicatrices del amor". Son un recordatorio del amor de una madre que rescató a su hijo.

Mi amigo o amiga, esto me recuerda el amor de Jesús. Después de todo, nuestra vida estaba desvalidamente atrapada en las mandíbulas del pecado. No teníamos esperanza y necesitábamos un Salvador. Por lo tanto, Jesús dio su vida como un sacrificio en la cruz para rescatarnos de nuestro pecados. Dejó el cielo y vino a la tierra para cumplir un propósito en la cruz. Romanos 5:8 dice:

Mas Dios muestra su amor para con nosotros, en que siendo aún pecadores, Cristo murió por nosotros.

Sí, fue el amor lo que lo llevó a la cruz y el amor nunca deja de ser. Los clavos no lo sostuvieron en la cruz, el amor lo hizo. Jesús demostró su sacrificio de amor supremo cuando murió en la cruz por nuestros pecados. Hoy, Jesús tiene "las cicatrices del amor" en sus manos y sus pies como prueba visible de su amor por toda la humanidad.

La Biblia dice en 1 Juan 13:13:

Y ahora permanecen la fe, la esperanza y el amor, estos tres; pero el mayor de ellos es el amor.

Sí, la fe dice: "Adelante, hazlo".

La esperanza dice: "Lo lograré".

El amor dice: "Daré todo de mí".

Confío en que usted siga "adelante y lo haga" por medio de su fe en Jesús. Que la esperanza le recuerde que "lo logrará". Que el amor lo motive a "dar todo de sí" en adoración a Cristo.

Capítulo 12

La cruz es el mensaje de amor

Romanos 5:8 dice:

Mas Dios muestra su amor para con nosotros, en que siendo aún pecadores, Cristo murió por nosotros

Sin lugar a dudas, la cruz es un mensaje de amor.

La crucifixión que los romanos usaban para ejecutar a las personas era una de las formas más crueles diseñadas por el hombre. Se la usaba con los delincuentes más viles. Causaba una muerte lenta y lacerante. La víctima moría en público. La crucifixión tenía el propósito de infligir un dolor extremo. Era una muerte tortuosa. Era tan cruel que los hombres rogaban que se les tuviera misericordia.

Comenzaba con una sarta de latigazos. El látigo tenía esferas de cuero en el extremo. En la esfera se adherían puntas de hierro y vidrio. Esto desgarraba la carne de la espalda del hombre.

La persona que infligía estos latigazos estaba entrenada para que el castigo fuera violento. Estaba entrenada para que causara el mayor dolor sin tener misericordia alguna. La ley romana permitía un máximo de 39 azotazos y cada tralla contaba.

La persona que daba los azotes con el látigo, llamado el gato de las nueve colas, golpeaba a los condenados en la espalda. Era un acto brutal y destrozaba la espalda de la persona. Todas las capas de la piel se arrancaban con violencia mientras el hombre gritaba que se le tuviera misericordia, pero sin que se la concedieran. Se lo ataba a un poste porque sus piernas no podrían resistir el dolor. Después de los 39 azotazos se podía arrancar la carne de la espalda y ver los huesos de la espalda de la víctima.

Seguidamente tenía lugar la crucifixión propiamente dicha. La persona era colocada con violencia sobre la cruz y las espinas se le incrustaban en la espalda. Los clavos traspasaban las manos y los pies para asegurar a la persona a la cruz. Se colgaba a la persona desnuda en la cruz para que la humillación fuera peor. Se imagina el dolor y la agonía que la persona tenía que soportar. Era en verdad una muerte aterradora y horripilante. Sin embargo, la agonía recién comenzaba.

Una vez que la cruz se ponía verticalmente, el dolor y el sufrimiento continuaba. Mientras la persona colgaba en la cruz, su cuerpo se desplomaba. Esto hacía que el aire no llegara a los pulmones. En consecuencia, la persona comenzaría a sofocarse. Por lo tanto, la reacción natural del cuerpo sería instintivamente elevarse con los pies para obtener aire. Esto provocaba un dolor agudísimo en los pies. Entre la sofocación y el horrible dolor de los clavos, el individuo pasaría horas en este proceso hasta que, en algún momento, quizá en un par de días moriría. La crucifixión era una manera horrible, cruel, brutal y lacerante de morir.

Mi amigo, esta es la muerte que experimentó Jesucristo. La pregunta que debemos hacernos es: ¿Por qué Jesús tendría que pasar por tal agonía? La respuesta es esta: La cruz es un mensaje de amor. Jesús dio su vida como un sacrificio por nuestros pecados y, en definitiva, para demostrar su amor incondicional.

Como ve mi amigo, el pecado había estropeado nuestra relación con Dios. Sin embargo, Dios prefirió restablecerla por medio del sacrificio de su propio Hijo en la cruz por nuestros pecados. Jesús dio su vida para ofrecer el regalo gratuito de la vida eterna.

La Biblia dice en Juan 3:16:

Porque de tal manera amó Dios al mundo, que ha dado a

su Hijo unigénito, para que todo aquel que en él cree, no se pierda, mas tenga vida eterna.

Sí, Dios lo ama a usted hoy. La cruz revela de verdad el sorprendente amor de Dios. Jesús extiende sus brazos en la cruz como un símbolo de sus brazos extendidos hacia la humanidad.

Jesús dijo en Juan 15:13:

Nadie tiene mayor amor que este, que uno ponga su vida por sus amigos.

Así es, tenemos la oportunidad de experimentar el perdón y la amistad de Cristo. La Biblia dice que Jesús es un amigo más allegado a nosotros que un hermano. Su amistad no se basa en la ley de Dios. Se basa en el amor de Dios.

Sí, el símbolo de la fe cristiana no son dos tablas de piedra. No, la ley de Dios no es la respuesta a nuestras necesidades. El símbolo de la fe cristiana es la cruz. La razón es sencilla, el amor de Dios es lo que necesitamos. La buena noticia es que la cruz nos recuerda que el amor de Dios está a nuestro alcance.

1 Juan 4:10 dice:

En esto consiste el amor: no en que nosotros hayamos amado a Dios, sino en que él nos amó a nosotros, y envió a su Hijo en propiciación por nuestros pecados.

Sí, Dios es amor y la cruz es un mensaje de su amor. Por eso la Biblia declara: "Mirad cuál amor nos ha dado el Padre, para que seamos llamados hijos de Dios". La cruz es una demostración increíble de la profundidad del amor de Dios por nosotros. La Biblia sigue diciendo: "En esto hemos conocido el amor, en que él puso su vida por nosotros". La Biblia también dice: "Nosotros le amamos a él, porque él nos amó primero".

Mi amigo o amiga, ¿ha experimentado el amor de Dios hoy? ¿Siente su presencia y su consuelo? ¿Alguna vez probó y vio que el Señor es bueno? ¿Ha escuchado el mensaje de amor que se pregona desde la cruz? Jesús lo ama hoy. Su amor fue demostrado ayer, es una realidad hoy y una seguridad para su futuro. La cruz es un mensaje maravilloso del increíble amor de Dios.

En Londres hay una capilla que se llama "Charing Cross" (la cruz Charing). Años atrás la amada esposa del rey murió lejos de Londres. El rey trajo el cuerpo de regreso a la ciudad de Londres y construyó capillas a lo largo del camino. Donde se detenía y descansaba del largo viaje, el rey erigía una capilla pequeña.

Cada una de estas capillas tenía un nombre especial. La cruz del Rey o la cruz Charing, etc. Con el tiempo a la capilla llamada "Charing Cross" se la comenzó a conocer simplemente por "La Cruz".

Años después, una pequeña niña se perdió en las calles de Londres. Andaba errante sin ayuda tratando de encontrar su hogar. Un policía la encontró llorando y le ofreció ayudarla a llegar a su casa.

Pero la niña no recordaba su dirección. Le corrían lágrimas por las mejillas mientras el pequeño corazón de la niña se quebrantaba. El policía la consolaba y le explicaba que todo se solucionaría.

Se sentó junto a la niña y le explicó un plan simple. Le dijo: "Te nombraré algunos lugares en Londres y tú me dirás si los reconoces". Primero le mencionó "Piccadilly Circus". La niña respondió: "No". Después le preguntó por "Westminster". La niña respondió de nuevo: "No". Por último le preguntó si conocía la capilla de la cruz llamada "Charing Cross". "Ah", dijo la niña con lágrimas en los ojos. "Sí, sí, llévame hasta allí, a la cruz, y podré hallar el camino a casa".

Mi amigo o amiga, cuan cierto es esto para toda la humanidad. Simplemente lléguese hasta la cruz y podrá encontrar desde allí el camino al hogar de Dios. Jesús murió en la cruz por nuestros pecados y resucitó al tercer día.

Aquí está la respuesta para cada una de sus necesidades. Él le da esperanza al corazón quebrantado. Sana el alma herida. Jesús perdona a la persona que confía en Él. Abra su corazón al amor de Dios por medio de la fe en Jesucristo. La cruz es un mensaje de amor.

CAPÍTULO 13

JESÚS ES EL SALVADOR RESUCITADO Y EL SEÑOR VICTORIOSO

Mi amigo, la resurrección de Cristo es un mensaje victorioso. Es la resurrección la que marca la diferencia entre el cristianismo y las demás religiones. Si usted inspecciona la tumba de Buda, verá que aún yace ahí. Si usted inspecciona la tumba de Mahoma, verá que aún yace ahí. Si usted inspecciona la tumba de Jesús, verá que Él no yace ahí. Jesús es el Salvador resucitado y el Señor victorioso.

El ángel hizo el anuncio en la tumba vacía. Marcos 16:6 dice:

No os asustéis; buscáis a Jesús nazareno, el que fue crucificado; ha resucitado, no está aquí; mirad el lugar en donde le pusieron.

Sí mi amigo, las palabras más poderosas en toda la historia son: ¡Ha resucitado!

La humanidad andaba a tientas en la oscuridad. La muerte había reinado en la historia humana. Romanos 5:12 dice:

Por tanto, como el pecado entró en el mundo por un hombre, y por el pecado la muerte, así la muerte pasó a todos los hombres, por cuanto todos pecaron.

Sí, los pueblos en toda la historia tienen la muerte como un denominador común. Pero, vemos que Jesús tiene otra historia. Dejó el cielo y vino a la tierra como el Hijo de Dios perfecto. Nunca pecó. Fue perfecto por completo. Era el Hijo de Dios sin pecado, y el único Dios hecho hombre.

Su destino era la cruz. Sufrió en la cruz por nuestros pecados.

Experimentó la culpa del mundo en la cruz. Pasó por atrocidades en la cruz al tener que sufrirlo solo. Dios el Padre le dio la espalda a su Hijo. La oscuridad cubrió la tierra cuando Jesús fue separado de su Padre. En agonía, nuestro Señor exclamó: "Dios mío, Dios mío, ¿por qué me has desamparado?"

Los malvados hombres se burlaban y lo maldecían. Lo golpeaban y abofeteaban. Tenía una corona de espinas incrustada y le sangraba la frente. Tuvo que pasar por la farsa de un juicio y se lo halló culpable. Lo sentenciaron a ser crucificado. Jesús fue clavado en la vieja y áspera cruz y derramó su sangre por nuestros pecados. Todos sus discípulos lo abandonaron atemorizados. El dolor, la agonía y la total soledad eran desconcertantes.

Por último, Jesús murió en la cruz. Juan 19:30 dice:

Cuando Jesús hubo tomado el vinagre, dijo: 'Consumado es'. Y habiendo inclinado la cabeza, entregó el espíritu.

Sí, parecía que la muerte había cobrado otra victoria. Sacaron a Jesús de la cruz y lo pusieron en una tumba prestada. Fue en verdad un momento tristísimo.

Los discípulos estaban desconsolados. Se habían llevado al Señor. Todas sus esperanzas se habían derrumbado. Sus sueños de un mundo mejor y de un futuro brillante estaban destruidos. La confusión y el lamento constituían la atmósfera de esta temblorosa experiencia en la tierra.

¿Dónde irían? ¿Qué harían? ¿Habría esperanza para el futuro? Parecía que la tumba fría y cruel se cobraba una vez más su victoria. ¿Quién se escaparía de las garras de la muerte? La agonía de la muerte había estrujado a otro víctima.

Pero, la tragedia se convertiría en TRIUNFO. Las marcas de la cruz pronto se convertirían en las estrellas de la corona. Las heridas del Salvador se curarían para quien lo buscara. La separación del Padre proveería la reconciliación para todos los seguidores del Señor.

Lo ve, mi amigo, tres días después de la crucifixión tuvo lugar la resurrección de nuestro Señor. Sí, Jesús salió de la tumba. Había vencido la tumba. La victoria más grande en toda la historia tuvo lugar en el momento en que Jesús volvió a vivir.

1 Corintios 15:57 dice:

Mas gracias sean dadas a Dios, que nos da la victoria por medio de nuestro Señor Jesucristo.

Alabe a Dios hoy porque Jesús es un Salvador que ha resucitado y un Señor victorioso. Colosenses 2:15 dice:

Y despojando a los principados y a las potestades, los exhibió públicamente, triunfando sobre ellos en la cruz.

Sí, Jesús derrotó a Satanás en la cruz. Mientras los clavos se incrustaban en en las manos y los pies de Jesús, ¡Él estaba derrotando al diablo!

Mi amigo, gracias a la victoria de Jesús hay esperanza para nuestra situación. Usted puede estar experimentando el dolor de una relación quebrantada. Puede estar preguntándose si hay esperanza. Puede estar bajo presión económica. Quizá usted esté encaminado hacia el éxito y haya descubierto que algo anda mal. Quizá esté sintiendo el rechazo o el dolor de un ser amado que se ha alejado.

Puede estar experimentado una tensión con un amigo cercano. Quizá ha sentido la culpa del pecado y necesite del perdón. Puede estar preguntándose si hay esperanza. ¿Tiene Dios respuestas para usted?

Mi amigo o amiga, la resurrección de Cristo lo está llamando hoy. SÍ, HAY ESPERANZA. Jesús también está vivo. Jesús ha vencido el pecado, la muerte y el infierno mismo al resucitar de la muerte. Jesús es el Salvador resucitado y el Señor victorioso

Varios años atrás un barco se hundió en las costas de la Nueva Inglaterra. La embarcación se dio vuelta y desorientó a toda la tripulación. Los hombres intentaron frenéticamente mantenerse vivos. Se amontonaban con la esperanza de escapar.

El pánico comenzó a atrapar a aquellos hombres que con desesperación querían estar vivos. Muchos pensaban en sus hijos y esposas para mantenerse vivos. La embarcación se llenaba de agua con rapidez. Pasaba el tiempo y la situación era desesperante.

La situación de emergencia era la pesadilla de cada marinero. El océano que había sido el amigo de toda la vida se convertía rápidamente en su enemigo. El mar se estaba cobrando la vida de muchos hombres. La muerte no tenía en realidad respeto por las personas.

Puede imaginarse la lucha por sobrevivir en momentos de pánico. Los hombres se aterrorizaban al luchar por su supervivencia. Estaban luchado literalmente por sus vidas.

Parecía que el ángel de la muerte había puesto su mano sobre los pies de estos hombres que intentaban ascender para estar a salvo. La muerte parecía como un ancla indeseable que los jalaba mientras ellos intentaban sobrevivir con todas sus fuerzas.

Por último, unos pocos hombres hallaron el camino que los llevó al tope de la embarcación volteada. Encontraron aire y se aferraron a la vida. Esperaban y se preguntaban simplemente si alguien los vendría a ayudar. Puede imaginarse lo que sentían, la total desesperación.

Mientras tanto, la guardia costera comenzó un desesperado rescate. Empezó una búsqueda por toda la embarcación. Luchaban con la tempestad mientras buscaban alguna señal de vida.

Por último, al tercer día, los buzos hallaron el barco hundido. Llegaron hasta allí y se imaginaron que todo se había perdido.

Imaginaron que nadie podría haber sobrevivido a tal experiencia. Pero, los buzos revisaron la embarcación de todos modos. De repente, escucharon un golpeteo dentro del barco hundido. Al escuchar con atención se dieron cuenta de que se trataba de un mensaje en el código Morse. Los hombres dentro de la embarcación estaban golpeteando. ¿HAY ESPERANZA?

Los buzos le respondieron ¡SÍ, HAY ESPERANZA! Al saber que tenían esperanza los hombres pudieron aferrarse a la vida y fueron rescatados. Pudieron reunirse con sus seres queridos.

Mi amigo, toda la humanidad grita hoy ¿HAY ESPERANZA? ¿Puede alguien cambiar su vida? ¿Pueden resolverse los problemas de este mundo? ¿Puede llenarse el vacío del corazón del hombre?

Bien, mi amigo, la resurrección de Jesucristo es la respuesta: ¡SÍ, HAY ESPERANZA! La resurrección de Jesús es una respuesta atronadora para los problemas de todo tiempo. No hay situaciones desesperantes con Jesús.

Él murió por nuestros pecados y resucitó. Dio el regalo de la vida eterna para todo aquel que cree en Él. Simplemente deposite su fe en Cristo y solo en Él. Tenga presente mi amigo o amiga que Jesús es el Salvador resucitado y el Señor victorioso.

Capítulo 14

Jesús es parte del cambio

Jesús es parte del cambio. Jesús dijo en Juan 3:3: "Que el que no naciere de nuevo, no puede ver el reino de Dios". En otras palabras, si alguien desea ir al cielo, necesita experimentar un encuentro personal con Jesucristo. Creo que todos desean ir a cielo. La cuestión es ¿cómo llegamos allá?

Recuerdo una historia que Billy Graham contó en los primeros tiempos de su ministerio. Había llegado al pueblito donde tenía que predicar a la noche. Tenía que enviar una carta así que le preguntó a un muchachito dónde quedaba la oficina de correos.

El muchachito le dio las indicaciones y Billy se lo agradeció. Luego le dijo al muchacho: "Si vienes esta noche a la iglesia bautista, podrás oír cómo las personas pueden ir al cielo". El muchachito le respondió: "No gracias, no creo que vaya a escuchar cómo las personas pueden llegar al cielo, cuando usted ni siquiera conoce el camino a la oficina de correos".

Sin dudas que la historia es algo graciosa. Sin embargo, necesitamos saber cómo llegar al cielo. Jesús le dijo a Juan que quien "no 'naciere de nuevo', no puede ver el reino de Dios".

Las personas usan la frase "nacer de nuevo" de variadas maneras. Un atleta a quien se le ha dado una segunda oportunidad puede decir que "nació de nuevo". Johnny Mathes tenía una canción hace unos años que decía: "Cuando estoy en tus brazos siento que nazco de nuevo". En la película "Otra ciudad, otra ley" rodada en la década del ochenta y protagonizada por Burt Lancaster y Kirk Douglas, a ellos se los liberaba de la cárcel.

Lancaster que hacía el papel de Harry Doyle, se volvió y le dijo a Kirk Douglas, que hacía el papel de Archie Long: “Siento que nací de nuevo, Arhie”. Sí, después de 30 años de estar en la cárcel sentía que “había nacido de nuevo”.

Esto da la idea de un comienzo naciente. De una etapa nueva en la vida. De comenzar de nuevo con las manos limpias. El pasado queda atrás y el futuro luce espléndido. Este es el concepto de “enmendarse y empezar una vida nueva”.

Sin embargo, la cuestión para nosotros hoy no es lo que significa la frase “nacer de nuevo” para los demás, sino lo que Jesús quiso decir. Es entender que necesitamos mirar el contexto cuando Cristo enseñó este importante concepto de “nacer de nuevo”. Lo encontramos en el tercer capítulo del evangelio de Juan.

La Escritura dice en Juan 3:1-3:

> *Había un hombre de los fariseos que se llamaba Nicodemo, un principal entre los judíos. Este vino a Jesús de noche, y le dijo: Rabí, sabemos que has venido de Dios como maestro; porque nadie puede hacer estas señales que tú haces, si no está Dios con él. Respondió Jesús y le dijo: De cierto, de cierto te digo, que el que no naciere de nuevo, no puede ver el reino de Dios.*

Podemos destacar algunas cosas de este pasaje. Primero, Jesús le estaba hablando a un hombre muy religioso. La Biblia dice que Nicodemo era un fariseo y un dirigente de los judíos. Los fariseos estaban entre los líderes religiosos de la época. Cumplían los mandamientos al pie de la letra de la ley. Tenían una lista de lo que se podía y de lo que no se podía hacer y la cumplían estrictamente.

Nicodemo era un dirigente de los judíos. Uno de los líderes fariseos. Era un hombre muy religioso y el pueblo lo respetaba.

Exteriormente, Nicodemo lo tenía todo. No daba la impresión

de que necesitara algo más. Era un hombre de una gran moral y altamente estimado en la comunidad religiosa.

Nicodemo también hablaba bien de Jesucristo. Se refirió a Jesús como el maestro enviado por Dios. También aprobó los milagros del Señor. En otras palabras, Nicodemo estaba diciendo: "Jesús, creo que tú eres un gran hombre y un gran maestro". Humanamente hablando, todo parecía estar bien. Después de todo, acá vemos a un hombre religioso que tenía a Jesucristo en alta estima. Jesús con seguridad tenía un alto concepto de Nicodemo.

Sí, Jesús le manifestó a este hombre tan religioso que necesitábamos nacer de nuevo. Lo que el Señor le está diciendo a Nicodemo es claro y simple. Le está diciendo "Nicodemo, no me interesan tus antecedentes. La vida eterna es el resultado de recibir el regalo de Dios, no de las cosas buenas que hacemos por Dios".

Jesucristo no anduvo con rodeos con este hombre. Lo estaba enfrentado con la necesidad de un nacimiento espiritual. A pesar de que alguien pudiera hacer buenas obras y de que fuera muy religioso y pensara que Cristo fuera un buen maestro, esto no era suficiente.

La vida eterna ocurre cuando dejamos de intentar ganárnosla y recibimos simplemente el regalo de Dios. A medida que lee este pasaje de la Escritura, encontrará que se enseña de manera muy clara el regalo de la vida eterna.

Juan 3:16, uno de los versículos más importantes de toda la Biblia, es la respuesta dada a este hombre Nicodemo. "Porque de tal manera amó Dios al mundo, que ha dado a su Hijo unigénito, para que todo aquel que en él cree, no se pierda, mas tenga vida eterna". Jesús le está diciendo a Nicodemo: "Te amo. Moriré y resucitaré por ti. Simplemente cree en mí y tendrás la vida eterna. Deja de realizar obras para ganártela y simplemente acéptala como un regalo".

La mejor noticia la encontramos en la palabra "mundo". Sí, Dios nos ama a cada uno de nosotros. Somos valiosos para Dios. Somos lo suficientemente importantes como para que Él permitiera que su único Hijo muriese en la cruz por nuestros pecados. Le dio la posibilidad a todos de nacer de nuevo. Mi amigo, este amor va más allá de una explicación. Es el incomparable amor de Dios.

Creo que Nicodemo creyó en Jesucristo, porque en Juan 19:39, lo vemos ayudando a enterrar el cuerpo de Jesús. Esto nos da un indicio de que era un seguidor de Cristo. ¿Puede imaginarse cómo se habrá regocijado tres días después cuando Cristo salió de la tumba?

Casi puedo oír al Señor decir: "Nicodemo, acá estoy, he resucitado tal como te lo había dicho". ¡Nicodemo, tu experiencia de "nacer de nuevo" es una realidad! Mi amigo, esto también es una realidad para usted.

Cuando recibimos a Cristo en nuestra vida por fe, nos transformamos en una nueva persona espiritualmente. Dios nos da un nuevo comienzo con las manos limpias. Nos da una nueva vida. Dios hace que el Espíritu Santo more en nuestra vida para darnos confianza y guía. Comenzamos a leer la Biblia y podemos entenderla. Tenemos necesidad de las enseñanzas bíblicas. Nuestra asistencia a la iglesia y la adoración a Dios tiene un significado totalmente nuevo. Hay gozo en nuestros corazones y lo alabamos con nuestros labios.

El nuevo nacimiento es real. Es lo que Jesucristo enseña con claridad. Comenzó con Nicodemo y aún sigue alcanzando a otras personas hoy. Lo sé porque Jesús ha transformado mi vida. Las personas que me conocían cuando yo era un adolescente, por lo general se sorprenden al saber que ahora soy pastor.

Yo era un joven rebelde que no quería saber nada de Dios. Quería vivir la vida a mi manera. Sentía que había visto demasiada hipocresía en la iglesia y no quería saber nada del cristianismo.

A los 16 años le dije a un pastor de jóvenes que no me volviera a hablar del cristianismo. Me fui irritado de allí después de hablar con él. No podía creer que perdiera una de mis tardes para que me hablara sobre el cristianismo. Después de nuestra discusión, pensé que nunca más iba a saber de él.

Sin embargo, él hizo algo que yo no podía evitar. Él y un amigo comenzaron a orar por mí a diario durante los dos próximos años. Después de todo, "hablarle a la gente de Dios es una gran cosa, pero hablarle a Dios de la gente es algo mejor".

Para resumirle la historia, a los 18 años tuve la convicción de que necesitaba a Cristo. Una noche, tarde, fui hasta la casa de mi hermano mayor para decirle que necesitaba ser salvo. Nos arrodillamos para orar e invité a Cristo a mi vida como mi Señor y Salvador personal. Le agradezco a Dios porque Jesús cambió mi vida. Hasta dos de los ministros de jóvenes que estaban orando por mí se sorprendieron al ver la transformación.

Mi amigo, si aún no tiene la seguridad de que "ha nacido de nuevo", permítame que lo invite a que se asegure de eso hoy. Simplemente diciéndole a Dios que cree que Jesús murió por sus pecados y resucitó. Por medio de esta sencilla oración de fe, usted puede invitar a Cristo para que venga en su vida y usted nacerá de nuevo. Se lo digo por experiencia propia, nunca se arrepentirá de eso. Después de todo, Jesús es parte del cambio y Él siempre cambia nuestra vida para bien.

Capítulo 15

Trabajar en equipo significa: Un sacrificio individual para que el equipo tenga éxito

Creo que un verdadero campeón en la vida es una persona de grandes cualidades morales y firmeza. Tal como se ha dicho: "El talento puede llevarlo hasta la cima pero se requiere de cualidades especiales para mantenerse allí". Sí, la gente que logra un éxito duradero en la vida desarrolla una base de cualidades morales y firmeza.

Necesitamos gente en el liderazgo que tenga principios. Necesitamos gente que no sacrifique sus valores para obtener la victoria. La mentalidad de "ganar a toda costa" con frecuencia crea un perdedor en el juego de la vida.

Creo que el trabajo en equipo es una cualidad importante en la personalidad de un campeón. Defino al trabajo en equipo como "un sacrificio individual para que el equipo tenga éxito". Jesús dijo en Marcos 3:25: "Y si una casa está dividida contra sí misma, tal casa no puede permanecer".

Sí, las personas deben trabajar juntas para tener éxito como equipo. La vida, en esencia, siempre se trata de trabajo en equipo. La familia es un equipo. Los padres y los hijos deben aprender a respetarse cada uno y a llevarse bien. El amor en el hogar con frecuencia se demuestra por medio del sacrificio individual en pro del éxito del equipo.

Muchas veces los padres dejan de lado sus propios deseos para suplir las necesidades de sus hijos. A esto se lo llama "responsabilidad". Los padres trabajan intensamente y se privan de cosas para suplir las necesidades de sus seres amados. En consecuencia los hijos aprenden a apreciar el sacrificio de mamá y papá. Los padres no abandonarán a aquellos que dependen de ellos. Pero, si cada uno busca solo su propio bien, el hogar se derrumbará. Después de todo Jesús dijo: "Y si una casa está dividida contra sí misma, tal casa no puede permanecer".

El hogar que defienda el trabajo en equipo como un sacrificio individual en pro del éxito del equipo, permanecerá junto. El egoísmo desintegrará a este tipo de familias. Filipenses 2:3-4 dice:

> *Nada hagáis por contienda o por vanagloria; antes bien con humildad, estimando cada uno a los demás como superiores a él mismo; no mirando cada uno por lo suyo propio, sino cada cual también por lo de los otros.*

Sí, una forma de vida sacrificial es una forma de vida como Dios quiere.

El trabajo es otro ejemplo de un equipo. La gente es mucho más productiva cuando trabaja junta. La compañía prosperará cuando los empleados cooperan con un propósito en común.

La iglesia o cualquier organización civil es un equipo. Las personas obtendrán mayores logros su sirven juntas. La organización se debilitará si hay una actitud egoísta. Pero prosperará si hay un servicio sacrificial.

Podríamos continuar con los ejemplos. La vida está compuesta de muchos equipos. En esencia, todos formamos parte de un gran equipo llamado humanidad. Toda civilización depende de la habilidad de llevarse bien. Seamos realistas, las personas que en definitiva se rehúsan a jugar en equipo en la sociedad se aíslan.

Nadie en realidad constituye una isla completamente para sí mismo. Proverbios 18:1 dice:

El egoísta solo busca su interés, y se opone a todo buen consejo.

La Biblia continúa diciendo en Proverbios 11:4:

Si no hay buen gobierno, la nación fracasa; el triunfo depende de los muchos consejeros.

Sí, el insensato vive una vida totalmente egoísta. Pero la persona sabia respeta y valora la contribución y el esfuerzo de los demás. Nadie tiene todas las respuestas para cada asunto. Nos necesitamos mutuamente.

Por desgracia, un equipo se puede convertir en su peor propio enemigo. Todos hemos visto equipos muy talentosos jugar como un grupo de individuos. Lo triste pero verdadero es que, el equipo de menor talento que funciona como un equipo unido vencerá al talentoso grupo de individuos. Sí, los jugadores que trabajan juntos tendrán éxito. Las personas de grandes cualidades morales y firmeza comprenden que el trabajo en equipo es: Un sacrificio individual para que el equipo tenga éxito.

Esta es la historia del séptimo juego de la serie mundial de 1946. El equipo Cardinals de St. Louis iba empatando con el poderoso equipo de los Red Sox de Boston. Los Cardinals no eran los favoritos de la serie, pero habían logrado, de algún modo, llevar a los Red Sox al séptimo y decisivo juego.

En el quinto juego, a Enos Slaughter, de los St. Louis Cardinals, le golpearon el codo en un lanzamiento. El brazo le comenzó a sangrar y a inflamarse, y el dolor era insoportable. Slaughter continuó en dos entradas más como un veterano. Por último, cuando tuvo que batear de nuevo en la sexta entrada, hizo algo que por primera vez hacía en su carrera. No pudo batear ni lanzar la pelota, y se retiró.

Los entrenadores intentaron curarle el brazo, pero nada parecía funcionar. Al día siguiente fue a ver al doctor del equipo para que le hiciera unas radiografías. Recibió la devastadora noticia de que no podría seguir jugando en la serie mundial. El médico le advirtió a Enos Slaughter que si se volvía a lesionar sería necesario amputarle el brazo. Un golpe con un lanzador o un choque con otro jugador podría arruinar su carrera. El doctor le advirtió que el riesgo de perder el brazo era demasiado alto. Tendría que esperar hasta la próxima temporada.

Sin embargo, los Cardinals iban empatando en el sexto juego y ahora estaban listos para el séptimo. El campeonato de la serie estaba en juego. Los Cardinals necesitaban a Slaughter, pero los médicos decían que el riesgo era muy grande.

Pero Enos Slaughte definía al "trabajo en equipo" como "un sacrificio individual para que el equipo tenga éxito". En día del juego apareció con su uniforme e insistió en jugar. Le rogó al dirigente que no tuviera en cuenta la lesión y que lo pusiera en la alineación.

Enos Slaughter estaba en el campo de juego y listo para dar todo de sí. Fue una increíble demostración de fuerza de voluntad y espíritu de equipo. Iban empatados 3 a 3. El dolor del brazo era insoportable. Enos Slaughter no le hizo caso al dolor y entró a la caja del bateador como un guerrero poderoso. Golpeó la pelota para comenzar la entrada. Los próximos dos bateadores salieron y Slaughter seguía en la primera base.

Era el momento para ser valiente y el escenario estaba preparado para el heroísmo. Slaughter decidió robar la segunda base para ponerse en posición para anotar. Salió corriendo tan pronto el lanzador arrojó la pelota. Walter llegó a la primera base y Slaughter corrió rápidamente hasta la base. El medio campista se tomó el tiempo para agarrar la pelota mientras Slaughter pasaba por la segunda base y se dirigía a la tercera. El entrenador de la tercera base mantuvo a Enos Slaughter en dicha base. Por lo tanto, el medio campista arrojó la pelota al interceptor.

Sin embargo, a Slaughter le habían permitido en el abrigo de jugadores que tomara la base meta si le parecía que iba a llegar. En consecuencia, hizo caso omiso a la señal de detenerse y siguió corriendo hacia la base meta. Enos Slaughter estaba arriesgando su brazo derecho por el equipo. Si se chocaba con el receptor podía lesionarse peor el brazo y tendrían que amputárselo.

Ahora el campeonato de la serie mundial estaba en juego, y Enos Slaughter daría todo de sí. Corrió a la base tan rápido como una locomotora. El tiro no llegó a la meta y Slaughter se deslizó sin problemas hasta anotar.

Los Cardinals ganaron el juego con una anotación de 4-3. Habían ganado por milagro la serie mundial de 1946. Fue el sacrificio que Enos Slaughter hizo en forma individual lo que llevó al equipo a ganar. Esto es trabajar en equipo.

Mi amigo, permítame que le recuerde a otro individuo que se sacrificó para que el equipo ganara. Dos mil años atrás el Hijo de Dios hizo el mayor sacrificio de todos los tiempos. Sufrió en la cruz por nuestros pecados. Resucitó al tercer día para que su muerte sacrificial nos diera una vida victoriosa.

Dios nos invita cortésmente a unirnos a su equipo por medio de la fe en su Hijo. Juan 1:12 dice:

Mas a todos los que le recibieron, a los que creen en su nombre, les dio potestad de ser hechos hijos de Dios.

¿Por qué no sumarse al equipo de Dios hoy? Dígale a Dios que usted cree en la muerte, la sepultura y la resurrección de Cristo como un sacrificio por sus propios pecados. Invite a Cristo, por medio de una oración, para que sea su Señor y Salvador personal y se transformará en un hijo de Dios.

Simplemente confíe en el sacrificio individual de Jesús y comience a experimentar el éxito que Dios tiene preparado para su equipo. Después de todo, el trabajo en equipo es un sacrificio individual para que el equipo tenga éxito.

Capítulo 16

El dominio propio es el resultado de haber ganado la batalla interior

Otro elemento importante para tener éxito es el dominio propio. En efecto, este le permite ganar la lucha interna. El éxito o el fracaso se determina algunas veces cuando nos sobreponemos o nos dejamos vencer por nuestra propia actitud. Como dice un refrán: "Su actitud determina su altitud".

Proverbios 16:32 dice:

Mejor es el que tarda en airarse que el fuerte; y el que se enseñorea de su espíritu, que el que toma una ciudad.

Esta es una ilustración significativa. La Palabra de Dios está enseñando el increíble poder de controlar su espíritu. El verdadero poder está en tener dominio propio.

Lo podemos comparar con un ejército poderoso que ha rodeado a la ciudad. Este ejército poderoso aprenderá tácticas de guerra sorprendentes para lograr la victoria. El éxito será un logro extraordinario y demostrará el poderío militar. El ejército que puede conquistar una ciudad fortificada es, en verdad, una poderosa fuerza para tener en cuenta.

Sin embargo, la persona que tiene dominio propio es más poderosa que un poderosísimo ejército. Tiene la capacidad de dominar sus emociones y de controlar su espíritu. Cuando obtenga la victoria sobre su propio enojo, irá camino al éxito.

Quizá haya escuchado la historia de un joven padre que llevaba a su bebé en el cochecillo. Parecía que los gritos y las lágrimas del bebé no le molestaban. El padre sencillamente le murmuraba: "Tranquilo, Robertito. Ten calma ahora, Robertito". Pero el bebé seguía llorando cada vez más fuerte. El joven padre le dijo: "Vamos, vamos Robertito, no pierdas la cordura. Todo está bien. Tú estarás bien".

En aquel momento una abuela compadecida se acercó y tomó al bebé en brazos. Lo tranquilizó con ternura y aquietó el perturbado espíritu de la criatura. Le dio suavemente unas palmadas y le dijo: "¿Qué te pasa Robertito? Tú estarás bien". La anciana también felicitó al padre por el dominio propio que él había demostrado. Le expresó cuan bello era ver que le hablaba con tanta ternura al bebé.

Luego el padre le aclaró una cuestión interesante. Pero primero le agradeció a la anciana por el cariño que le demostró al bebé. Luego le aclaró el que el nombre del bebé era Juanito, y el de él, Robertito. Sí, parece ser que el joven padre hablaba consigo mismo para mantener el dominio propio.

¡Sí, el que puede dominar su espíritu es, en verdad, mejor que el más poderoso! Puede requerir de una inmensa disciplina y fuerza de voluntad, pero vale la pena hacer el esfuerzo. Para poder desarrollar el dominio propio, usted debe resguardar su corazón. Proverbios 4:23 dice:

> *Sobre toda cosa guardada, guarda tu corazón; porque de él mana la vida.*

Sí, debe aprender a proteger su corazón de la furia interior. Es la mejor manera de resguardar su corazón contra la amargura o el resentimiento. Parece que el efecto destructivo del enojo comienza cuando el resentimiento se arraiga en nuestra vida.

Quizá alguien lo ha perjudicado. ¿Cómo reaccionará usted? ¿Le guardará rencor a esa persona? Si lo hace, el que se destruye podría ser usted.

Quizá alguien maltrató a su amigo o a un ser querido. Ellos reaccionaron correctamente, pero usted se sintió ofendido. Nuevamente, esto solo destruirá la paz interior que usted tiene a causa de la amargura o el resentimiento.

Algunas veces usted puede enfadarse con algunas circunstancias negativas de la vida. Porque las cosas no salieron como usted lo esperaba. Ahora se enfrenta a la decisión de: ¿Permitir que el enfado lo domine o confiar en la mano soberana de Dios?

Filipenses 2:13 dice:

Porque Dios es el que en vosotros produce así el querer como el hacer, por su buena voluntad.

Por eso Filipenses 2:14 dice:

Haced todo sin murmuraciones y contiendas.

Mi amigo, desarrollar la confianza en la soberanía de Dios le dará paz más allá de cualquier entendimiento humano. En vez de sentirse destrozado por la conmoción interna, tendrá la seguridad de que Dios está obrando en su vida.

Romanos 8:28 dice:

Y sabemos que a los que aman a Dios, todas las cosas les ayudan a bien, esto es, a los que conforme a su propósito son llamados.

A medida que la confianza en Dios que usted tiene se sigue desarrollando, usted aprenderá a hacer preguntas correctas como: ¿Qué quieres que aprenda Dios en esta situación negativa? ¿Cómo quieres Dios que utilice mi vida para que me conviertas en una mejor persona? Dios, enséñame a convertir esta situación negativa en una experiencia positiva de crecimiento espiritual. Ese tipo de actitud resguardará su corazón de las fuerzas negativas y destructivas.

Una persona que tiene dominio propio se concentrará en lo

positivo en lugar de lo negativo. Desarrollar una predisposición positiva lo ayudará a navegar en la dirección adecuada. "Su actitud determina el resultado". Resguardar su corazón guiará su vida. La Escritura dice: "Porque cual es su pensamiento en su corazón, tal es él". Sí, el dominio propio está relacionado en forma directa con el éxito.

Una persona que posee dominio propio también tendrá un espíritu que refleja paz en lugar de veneno. Fíjese en el efecto venenoso y el peligro explosivo del resentimiento o la amargura. Efesios 4:31 dice:

Quítense de vosotros toda amargura, enojo, ira, gritería y maledicencia, y toda malicia.

Ahora, fíjese que el perdón es la mejor manera de combatir el resentimiento o la amargura. Efesios 4:32 dice:

Antes sed benignos unos con otros, misericordiosos, perdonándoos unos a otros, como Dios también os perdonó a vosotros en Cristo.

Sí, una persona que posee dominio propio será una persona perdonadora. Esto evitará que el enfado crezca y explote.

Esto me recuerda cuando cultivábamos y veíamos crecer las habichuelas de mamá. Mi mamá era una cocinera fantástica y prefería que todo se "hiciera en casa" en vez de comprarlo en el "mercado". Cada verano sembrábamos verduras en una huerta amplia. Teníamos verduras frescas durante todo el verano y también mi mamá las guardaba en latas para el invierno. Por cierto nos ayudaba a que el presupuesto se estirara, pero lo más importante, le daba un sabor grandioso a la comida.

Aún puedo saborear la sopa de verduras de mi mamá. ¡Era fantástica! Recuerdo cuando llegaba de la escuela y sentía el olor de la sopa hirviendo sobre el fuego. Apenas entraba a la casa se podía oler el "agradable aroma". Se me hace agua la boca de solo pensarlo.

Mi mamá tenía una manera especial de cocinar las habichuelas, que eran mis verduras preferidas. Freía unas tajadas de tocino y cocinaba las habichuelas en esa grasa para darles sabor. Me encantaba y comía un montón. Por lo general, mi mamá cocinaría una porción extra de habichuelas si sabía que regresaría también a cenar. Para mí eran una verdadera comida.

Por eso mi mamá siempre tenía suficientes latas. Un día de verano, mi mamá tomó un manojo de habichuelas de un pote de vidrio para guardar conservas. Las puso a cocinar en la olla a presión sobre la cocina que había en el sótano. Acá es donde comienza lo interesante.

Avanzada la tarde, nos encontrábamos viendo televisión en la sala. ¡De repente, oímos una fuerte explosión! ¡Parecía como que alguien había disparado un rifle en el sótano! Allí nos acordamos de que las habichuelas estaban en la olla a presión cocinándose.

Bajamos y nos encontramos con un lío terrible. Había habichuelas y vidrios por todas partes. El vapor no había podido salir de la olla. ¡Y explotó! ¡Fue una noche para recordar!

De la misma manera nos sucede a nosotros cuando no queremos perdonar a la gente. El "vapor" del resentimiento y el enfado interior "presiona" nuestro corazón. Y en un momento dado explotará. Para evitar resultados dañinos, es mejor "dejar salir el vapor" y perdonar a aquellos que nos han perjudicado. Esto le permitirá demostrar la cualidad positiva del dominio propio.

Sí, se necesita dominio propio para ganar la batalla. "La persona que domina su espíritu es, en verdad, mejor que la poderosa".

Mi amigo o amiga, mire a Jesús para que le dé la fortaleza necesaria para ejercer el dominio propio. Confíe en su muerte, sepultura y resurrección para el perdón de pecados. Siga a Cristo por fe y experimentará con éxito el dominio propio y ganará la batalla interior.

CAPÍTULO 17

LA PERSEVERANCIA ES LA CLAVE DEL ÉXITO

Perseverancia: Es la habilidad de persistir y mantenerse firme en cualquier intento. Es perseverar mientras se intenta llegar a la meta y no dejarse vencer. Es quitar la palabra "abandonar" de su vocabulario.

Franklin Roosevelt dijo: "Cuando llegue al final de la cuerda, hágale un nudo y manténgase aferrado a ella".

Vince Lombardi lo expresó así: "No se trata de que te derriben sino de si te levantas o no".

Otro magnífico líder definió la perseverancia de este modo: "Usted no determina la grandeza de un individuo según el talento o la riqueza que dicha persona tenga, sino por lo que requiera para desanimarla".

Recuerde, la perseverancia es la mina de oro del éxito. Jesús dijo en Lucas 9:62: "Ninguno que poniendo su mano en el arado mira hacia atrás, es apto para el reino de Dios". Sí, en nuestro servicio y dedicación al Señor, la única dirección posible es "hacia delante".

No alimente la duda con respecto a la importancia de su dedicación a Dios. Mi amigo, su vida es importante para Dios. Usted tiene un destino divino que cumplir y Dios lo facultará para que usted lo sirva a Él. Dios le dará una misión y un propósito, sin tener en cuenta su edad, ni su situación económica o su nivel de educación. Dios tiene un plan para su vida.

Lo importante es que usted viva siéndole fiel a Él. La Biblia dice en Gálatas 6:9:

No nos cansemos, pues, de hacer bien; porque a su tiempo segaremos, si no desmayamos.

Sí, su vida tendrá un impacto positivo en los demás. Manténgase firme y siempre espere lo mejor. Descubra cual es su misión y luego intente con todo su corazón llevarla a cabo. Invierta su energía en un propósito significativo y manténgase firme mientras espera lo mejor.

Calvin Coolidge dijo: "Prosiga. Nada en el mundo puede reemplazar la persistencia. Ni siquiera el talento; no hay nada más común que los hombres talentosos fracasados. Ni siquiera la genialidad; es común que los genios no sean reconocidos. Ni siquiera la educación, el mundo está lleno de gente profesional que no tiene donde caerse muerta. La persistencia y la fuerza de voluntad son importantes".

Sí mi amigo, la persistencia no puede reemplazarse con nada. Muchas veces la diferencia entre el éxito y el fracaso está en la "perseverancia". La habilidad de mantenerse firme. La fuerza de voluntad para trabajar duro y no dejarse vencer.

La mejor motivación es mantener la fe en el Señor resucitado. Podemos estar seguros de que Dios le ha dado a la humanidad la respuesta a nuestra máxima necesidad. Él murió por nuestros pecados y resucitó. Dios nos ofrece una relación con Él por medio de la fe. Una vez que confiamos en Jesús como nuestro Salvador, tenemos comunión con Dios. Esto nos garantiza que estamos en el equipo ganador.

La Biblia dice en 1 Corintios 15:57:

Mas gracias sean dadas a Dios, que nos da la victoria por medio de nuestro Señor Jesucristo.

Sí, hay victoria en Cristo. Hay esperanza para cada situación. Hay poder al vivir una vida en Cristo. Una vez que afirmamos nuestra fe en Cristo, podemos estar seguros de que nuestra vida triunfará. Dios se valdrá de nosotros para gloria de Él. Podemos servirlo con alegría.

La Biblia dice en 1 Corintios 15:58:

Así que, hermanos míos amados, estad firmes y constantes, creciendo en la obra del Señor siempre, sabiendo que vuestro trabajo en el Señor no es en vano.

Sí, la fe en Cristo es el poder fundamental que usted tiene para perseverar. Puede tener la completa certeza de que su servicio al Señor siempre será lo correcto. Nunca se equivocará al seguir a Jesús. El será su Salvador y Señor, y el amigo más allegado a usted que un hermano. Le dará la fortaleza para perseverar, que se convertirá en la mina de oro del éxito.

Me recuerda la historia de la fiebre del oro en California. Dos hermanos vendieron todo lo que tenían y se mudaron al oeste. Decidir intentar prosperar en el negocio del oro. Compraron los elementos necesarios y comenzaron su búsqueda del oro.

Después de un tiempo, descubrieron una bella vista en el terreno. Habían descubierto una veta de un metal dorado brillante. Se aventuraron y comenzaron a excavar en busca de oro con gran entusiasmo.

Desafortunadamente, el oro se acabó al poco tiempo. Parecía que habían descubierto solo una pequeña veta de oro en la tierra. Era poca la cantidad que habían podido juntar. Por último, disgustados, abandonaron la tarea.

En consecuencia, los hermanos encontraron un comprador y le vendieron todo. También le vendieron los derechos para explotar el terreno por unos pocos cientos de dólares. Pensaron que su destino no era que se convirtieran en millonarios. Los hermanos estaban satisfechos con la pequeña cantidad de oro que habían encontrado, y deseaban que hubiera sido mayor. Habían hecho algo de dinero pero estaban muy lejos de ser ricos.

La "fiebre del oro" iba y venía. Dejaron todo y regresaron en tren a su hogar. Había dedicado suficiente dinero buscando el preciado oro en California.

Sin embargo, el hombre que compró los derechos decidió seguir intentándolo. Empleó a ingenieros para que examinaran el terreno donde los hermanos habían estado excavando. Los ingenieros examinaron el terreno y le dieron algunos consejos muy sabios. Le dijeron al dueño que siguiera excavando exactamente en el mismo lugar donde los hermanos lo habían hecho.

El hombre comenzó a excavar más en lo profundo. El nuevo dueño se sorprendió al encontrar oro a tan solo tres pies (90 cm) por debajo de donde los hermanos habían abandonado. Halló una veta que valía millones. Se extrajo el oro y el nuevo dueño alcanzó un éxito inmenso.

Piénselo. Si los dos hermanos hubieran sido un poco más perseverantes, se habrían vuelto ricos. Se habrían convertido en ricos millonarios si tan solo hubieran perseverado. Un poco más de trabajo los habría llevado a un éxito enorme.

Mi amigo o amiga, la perseverancia es la mina de oro del éxito. Nunca, nunca se rinda ni abandone la tarea. Puede estar más cerca del éxito de lo que pueda imaginarse. Siempre manténgase firme y no se deje vencer. Dios prometió que "a su tiempo segaremos, si no desmayamos". Mantenga sus ojos puestos en Dios y su corazón tendrá la fortaleza para continuar. Dependa de Dios para ser perseverante y usted encontrará la mina de oro del éxito.

Capítulo 18

El éxito no tiene atajos

Quiero que considere una cualidad muy importante. Es la clave para tener éxito en cualquier trabajo. Se trata del trabajo duro. Así es, trabajar duramente y desarrollar una buena ética laboral es crucial para el éxito. El trabajador laborioso sabe que el éxito no tiene atajos.

El libro de Proverbios dice en el 13:4:

El alma del perezoso desea, y nada alcanza; mas el alma de los diligentes será prosperada.

Lo que significa que la gente ociosa quiere cosas pero no tiene la voluntad para ganárselas por medio del trabajo. La gente que tiene éxito, por otra parte, aprende a disciplinarse y a trabajar duramente. El resultado natural es la recompensa de poder salir adelante en la vida.

Vince Lombardi lo expresó así: "Cuando más duro trabajes, más duro será que te rindas". Lombardi también dijo que "el diccionario es el único lugar donde el éxito aparece antes que el trabajo". Sí, el trabajo duro y el éxito van de la mano.

Se dice que el camino de adoptar la solución más fácil, con frecuencia, no conduce a ninguna parte. Mi amigo, el camino más fácil no es necesariamente el mejor. La gente que busca el camino más fácil en la vida con frecuencia termina en un callejón sin salida. Creo con firmeza que Dios bendice al trabajador laborioso. Proverbios 10:4 dice:

La mano negligente empobrece; mas la mano de los diligentes enriquece.

En otras palabras, si usted es un ocioso pronto se arruinará. En otras palabras, si usted trabaja duro, experimentará la agradable satisfacción que le provee el éxito.

Muchas personas desarrollarán una actitud perjudicial de expectativa. La gente con frecuencia actúa como si el gobierno tuviera que mantenerlos. Necesitamos recordar que tenemos derechos a buscar la felicidad. Lo que significa que podemos trabajar duro para crear una oportunidad. Como bien se ha dicho: "El éxito sucede cuando la preparación se encuentra con la oportunidad".

Proverbios 21:5 dice:

Los pensamientos del diligente ciertamente tienden a la abundancia; mas todo el que se apresura alocadamente, de cierto va a la pobreza.

En otras palabras, la gente exitosa trabaja duro y piensa en las cosas con detenimiento. No hacen decisiones rápidamente de las que se arrepentirán luego.

Reparemos los principios para lograr el éxito que aprendimos hoy en el libro de Proverbios. Debemos trabajar duro ("la mano de los diligentes enriquece", Proverbios 10:4). Debemos disciplinarnos y tener fuerza de voluntad para alcanzar el logro ("el alma de los diligentes será prosperada", Proverbios 13:4). Debemos planear con sabiduría ("los pensamientos del diligente ciertamente tienden a la abundancia", Proverbios 21:5). En otras palabras: El éxito no tiene atajos.

Considere cuidadosamente Proverbios 21:6:

Amontonar tesoros con lengua mentirosa es aliento fugaz de aquellos que buscan la muerte.

En otras palabras, aquellos que no tienen entereza y mienten, hacen trampas o roban para salir adelante, terminarán destruyéndose a sí mismos. En definitiva, quien trate de lograr el éxito dejando de lado la ética, a la larga, fracasará.

Las personas genuinamente exitosas tienen metas que van más allá del dinero. Las personas exitosas hacen énfasis en los valores de la familia y en el trabajo ético. El dinero no es su mayor motivación. Es el sentido de responsabilidad que tienen para suplir las necesidades de su familia. Tienen valores fundamentales para trabajar duramente, ser disciplinados y vivir con responsabilidad. La felicidad que tienen resulta de una vida equilibrada y de la satisfacción de cuidar y proveer para la familia. El verdadero éxito no tiene atajos.

Tenga en mente que la integridad determina lo que usted es y no el dinero que posee. Trabaje duramente y el éxito vendrá solo. Busque algo que valga la pena y dedíquese a eso. Colosenses 3:23 dice:

Y todo lo que hagáis, hacedlo de corazón, como para el Señor y no para los hombres.

Sí, ponga su corazón en el trabajo. Ponga todo de sí mismo. Esté dispuesto a caminar la milla extra. Después de todo, un poco más de esfuerzo podría resultar en un increíble éxito.

Cuando usted piensa en eso, verá que hay una diferencia pequeña entre ser bueno y ser magnífico. Pero el beneficio es extraordinario. Un atleta que pone un poco más de empeño puede alcanzar resultados fantásticos. Lo mismo sucede en el mundo de los negocios. Usted puede aplicar el principio de trabajar duramente a cualquier área de su vida. Mi amigo o amiga, a medida que trabaje duramente y que haga que sus sueños se tornen realidad, obtendrá grandes logros. El cielo es el límite para los que desean alcanzar las estrellas.

Sin embargo, es allí donde la guía espiritual es tan crucial. Usted quiere estar seguro de que los planes que llevará a cabo sean los que Dios tiene para usted. Después de todo, a medida que usted se encamine hacia el éxito, querrá asegurarse de que todo salga bien.

Es allí donde la Palabra de Dios lo protege. Josué 1:8 dice:

Nunca se apartará de tu boca este libro de la ley, sino que de día y de noche meditarás en él, para que guardes y hagas conforme a todo lo que en él está escrito; porque entonces harás prosperar tu camino, y todo te saldrá bien. Entonces los caminos que usted siga serán prosperados, y tendrá un buen éxito.

Sí, Dios lo guiará por el camino del éxito a medida que sigue su Palabra. Usted estará seguro de que en su camino hacia el éxito todo saldrá bien.

Sabe, cuando yo considero la verdad: "El éxito no tienen atajos"; esto me recuerda a un gran boxeador, Rocky Marciano. A comienzos de su carrera como amateur, los brazos se le cansaban después de un par de asaltos. Apenas si podía sostener los brazos después de unos pocos asaltos.

Por supuesto, cuando los bajaba, comenzaba el desastre. Su oponente le daría una terrible golpiza. La gente tenía poca esperanza de que Marciano se convirtiera en un campeón debido a esta clara debilidad.

Sin embargo, Rocky Marciano estaba dispuesto a trabajar duro para lograr el éxito. Comenzó a entrenar en uno de los locales de la Asociación Cristiana de Jóvenes donde había una piscina. Desarrolló una manera creativa para fortalecer sus brazos. Se sumergía en el agua y practicaba dar golpes. Balanceaba los brazos debajo del agua.

Practicaba durante muchas horas en el agua. Lo hizo día tras día durante varios meses. Con el tiempo, tenía la suficiente fuerza como para comenzar su carrera profesional.

Cuando Rocky Marciano se jubiló como boxeador profesional fue invicto. Ganó 49 peleas y 45 por knock-out. Fue el campeón mundial y uno de los más grandes boxeadores en la historia de este deporte.

Sin embargo, el éxito no llegó fácilmente. Trabajó para lograrlo. En realidad, se podría decir que su "talento" era el "trabajo". Después de todo, el éxito no tiene atajos.

Mi amigo o amiga, el éxito espiritual tampoco tiene atajos. Le costó a Jesucristo la vida. Murió en la cruz por nuestros pecados y resucitó. Jesús nos ofrece el regalo de la vida eterna cuando lo invitamos por fe a nuestra vida. Aunque la gracia de Dios es gratuita, tiene un costo. Le costó todo a Jesucristo. Sí, Jesús no tomó atajos en su camino a la cruz.

Por lo tanto, podemos dale gracias a Jesús por dejarnos este ejemplo crucial de que: El verdadero éxito no tiene atajos.

Capítulo 19

El aliento va de la mano del éxito

Creo que el aliento va de la mano del éxito. Después de todo, el aliento siempre le da esperanza. Y como usted sabe, la esperanza mueve el éxito. Por lo tanto, el aliento va de la mano del éxito.

Seamos realistas. Todos necesitamos ser alentados. Alentar a alguien es desarrollar valor en su corazón. Una palabra positiva puede influir mucho cuando se alienta a alguien.

Proverbios 12:25 dice:

La ansiedad en el corazón del hombre lo deprime; mas la buena palabra lo alegra.

Sí, algunas veces la ansiedad en la vida puede abrumar a una persona. Puede llevarla a la depresión. El mundo que parecía brillante y soleado ahora se lo ve oscuro y deprimente.

Sí, en medio de la desesperación, una palabra simple de aliento puede animar el espíritu de la persona. Una palabra amable de parte suya podría ser el cálido toque que el espíritu de la persona anhelaba. Dios se valdrá de las palabras de aliento que usted diga para inspirar al de corazón entristecido.

Cuando usted piensa en el hogar y en la vida familiar, Dios con frecuencia hace que la madre sea la que dé aliento. En muchos hogares, la madre es la que alienta de un modo positivo y cariñoso. Mamá es la que dice la palabra correcta en el momento justo. Mamá será la que anime con ternura a la familia.

Proverbios 18:21-22 dice:

> *La muerte y la vida están en poder de la lengua, y el que la ama comerá de sus frutos. El que halla esposa halla el bien, y alcanza la benevolencia de Jehová.*

El Señor se alegra cuando un hogar es bendecido por una mujer de Dios que obra con ternura. Por supuesto que yo le doy gracias a Dios por mi esposa, Cindi. Ella me alienta y es mi compañera de éxito. Creo que este legado se lo pasará a nuestra hija, Hannah, quien también se está criando como una joven de Dios. Hannah tiene un espíritu tierno como el de su madre, y estoy seguro de que Dios la preparará para que sea la compañera del éxito.

Sí, el éxito se lo encuentra en las familias donde unos animan a los otros. La seguridad crecerá cuando se le permita florecer al ánimo. Por lo tanto, el aliento va de la mano del éxito.

Las amistades saludables son las que dan aliento. Proverbios 27:17 dice:

> *Hierro con hierro se aguza; y así el hombre aguza el rostro de su amigo.*

Sí, una amistad positiva edificará a ambos. Una amistad positiva buscará lo mejor para el otro. Una amistad positiva se fortalecerá con el aliento. Los demás se enriquecen cuando usted es una persona que da aliento. Usted será el tipo de persona con quien los demás quieren estar. Usted animará a la gente y será un amigo positivo.

Mi amigo, todas las relaciones florecen en la atmósfera del aliento. La Biblia instruye a los cristianos a que se animen mutuamente. Hebreos 10:24-25 dice:

> *Y considerémonos unos a otros para estimularnos al amor y a las buenas obras; no dejando de congregarnos, como*

algunos tienen por costumbre, sino exhortándonos; y tanto más, cuanto veis que aquel día se acerca.

Sí, los creyentes en Cristo están juntos con el propósito de animarse mutuamente. Esto revivirá el corazón del creyente. Recargará la batería espiritual, por decirlo de alguna manera.

Por eso el hogar cristiano es el lugar donde se recibe y da ánimo. Los miembros de la familia anhelan estar juntos. Pasar tiempo juntos como familia es un gran gozo cuando el ánimo está presente. La familia que se anima mutuamente será la que los miembros disfrutan de estar juntos.

Jesús dijo en Juan 13:34-35:

Un mandamiento nuevo os doy: Que os améis unos a otros; como yo os he amado, que también os améis unos a otros. En esto conocerán todos que sois mis discípulos, si tuviereis amor los unos con los otros.

Sí, el amor que fluye desde el corazón de Jesús al de los creyentes será un poderoso testigo de Cristo. Otros verán su fe en Dios y su amor por los demás. Usted demostrará un poder de vida que será una manera contagiosa de cristianismo positivo.

El aliento que los demás reciben de su perspectiva positiva de la vida será de inspiración. La actitud que usted les demuestre a los demás los hará elevarse. El aliento que les dé irá de la mano del éxito.

Años atrás, un pequeño niño llego a su casa de la escuela con una nota de la maestra. La madre la abrió y la leyó. Se quedó pasmada con la nota de la maestra.

La maestra se había reunido con las autoridades de la escuela para tratar el tema de la capacidad del estudiante. Juntos decidieron que el muchacho tenía que irse de la escuela. Dijeron que el muchacho que padecía de una sordera moderada y que era demasiado tonto para aprender.

La madre leyó la nota y se enojó. Dijo: "Mi hijo Tom no es demasiado tonto para aprender. Y yo le voy a enseñar".

La madre ayudó a su pequeño hijo. Le enseñó a leer y escribir. Le enseñó matemática y ciencia. A Tom le encantaba la ciencia. Tenía pasión por ella.

Tom se sentía atraído a la ciencia como un pez al agua. Parecía que había encontrado su misión en la vida. Permitió que su mente creativa fluyera. Su pasión por la ciencia lo llevo a crear. La madre siempre lo alentaba a que hiciera sus sueños realidad.

Tom siguió aprendiendo. Por último, le demostró a las autoridades escolares cuan equivocadas estaban. ¡Después de todo, Thomas Edison, era demasiado tonto como para aprender!

Como usted sabe, Thomas Edison inventó la bombilla o foco eléctrico. Cuando murió el pueblo de Estados Unidos le rindió un increíble homenaje. Apagaron las luces durante un minuto Para recordar cómo sería la vida sin la luz que Thomas Edison había inventado. También inventó la grabadora y el fonógrafo. Thomas Edison patentó en total más de 1000 inventos.

Por lo tanto, el aliento va de la mano del éxito. ¿Dónde estaríamos si la madre de Thomas Edison se habría quedado con la opinión de las autoridades escolares? Cuan afortunados somos debido al ánimo que esta madre le dio a su hijo. El mundo es un mejor lugar gracias al aliento que una madre le dio a su hijo.

De la misma manera que Thomas Edison encendió las luces para el mundo, la Palabra de Dios prendió la luz de Jesús. Hace 2000 años atrás el Señor Jesucristo demostró el amor de Dios al morir en la cruz por nuestros pecados. Resucitó al tercer día y obtuvo la victoria al vencer la tumba.

Hoy, Él nos ofrece el regalo de la vida eterna para todo aquel que confíe en Cristo. El regalo de la vida eterna es el ejemplo supremo de amor y aliento para la humanidad. Dios le dará el éxito espiritual por medio de la fe en Jesús.

Acérquese a Jesús y descubra que el aliento que Él le brinda irá de la mano del éxito.

Capítulo 20

El éxito se da cuando la preparación se encuentra con la oportunidad

Usted no puede lograr el éxito con las manos en los bolsillos. En otras palabras, tiene que ser el tipo de persona que toma la iniciativa. No espere que la vida venga a usted, vaya usted y hágalo realidad. No espere a que la embarcación llegue a donde usted está, nade para llegar hasta ella.

Abraham Lincoln dijo: "Estaré preparado y un día la oportunidad se dará". Bien, Abraham Lincoln no llegó de casualidad a la presidencia en Estados Unidos. No, el entendió que: "El éxito se da cuando la preparación se encuentra con la oportunidad".

Mi amigo, quiero animarlo a que usted desarrolle al máximo el potencial que Dios le dio. Capitalice cada oportunidad que Dios le ofrece. Después de todo, la mayor responsabilidad que tenemos para con Dios es serle fiel y desarrollar el potencial que nos ha dado.

Usted sabe que a Dios no le interesa tanto su habilidad como su disponibilidad. Dios no necesariamente busca el talento, sino que busca a personas que sean confiables. Después de todo, Dios es quien dotó a la gente de talento. Por lo tanto, Dios simplemente quiere que usted le sea fiel con su vida de servicio.

A medida que usted viva una vida de fidelidad a Dios, aprenderá a "aprovechar" el momento que Dios le da. Usted estará preparado para cuando llegue el momento adecuado. Descubrirá el éxito que Dios ha planeado para usted. Sí, el éxito que Dios tiene para usted ocurrirá cuando la preparación que usted tiene se encuentra con la oportunidad que Dios le brinda.

Jesús enseñó este importante principio en la parábola de los talentos. La Escritura dice en Mateo. 25:14-18:

Porque el reino de los cielos es como un hombre que yéndose lejos, llamó a sus siervos y les entregó sus bienes. A uno dio cinco talentos, y a otro dos, y a otro uno, a cada uno conforme a su capacidad; y luego se fue lejos. Y el que había recibido cinco talentos fue y negoció con ellos, y ganó otros cinco talentos. Asimismo el que había recibido dos, ganó también otros dos. Pero el que había recibido uno fue y cavó en la tierra, y escondió el dinero de su señor.

Jesús narró este relato acerca de tres hombres a quienes Dios le había dado la oportunidad. Dos de los tres capitalizaron el potencial que Dios les había dado y lograron el éxito. Sin embargo, uno ignoró la oportunidad que Dios le daba. En consecuencia, este hombre no desarrolló el máximo potencial posible. Como resultado, no cumplió con lo que se esperaba de él, fue una desilusión para Dios y un oprobio para sí mismo.

Tenga presente que esta es una parábola que Jesús narró. Una parábola es una historia terrenal con un significado celestial. No se trata de un relato sobre la "administración del dinero". Dios simplemente usa esta ilustración sobre la administración del dinero para enseñar el principio de ser fieles al Señor con los talentos que Dios ha dado.

Las tres personas recibieron talentos del Señor. Variaban de una a cinco. Un talento era una moneda de plata que pesaba entre 58 y 80 libras (26 y 36 kg). Como bien puede ver, un talento representaba una cantidad significativa de dinero en esos días. Un talento era igual al salario de 20 años de un trabajador.

Por lo tanto, esto atraería con seguridad la atención de los oyentes. Después de todo, no era una insignificante suma la que Jesús daba. Sin embargo, lo que tenemos que recordar es lo que representan los talentos. Los talentos representaban las oportunidades que Dios les daba a cada uno.

También es interesante ver que el Señor le da diferentes oportunidades a diferentes personas. A algunas les dio cinco, a otros dos y otros solo uno. La cantidad no es lo importante. Lo importante era que el Señor esperaba lo mismo de cada uno de ellos. Simplemente quería que las personas fueran fieles con las oportunidades que Dios les daba.

Básicamente, se esperaba que cada una hiciera algo con lo que Dios le había dado. La oportunidad se dio y se esperaba que dichas personas estuvieran preparadas.

En realidad, lo que más se esperaba era que cada persona fuera fiel a la oportunidad que Dios le brindaba. No eran responsables por los talentos que no se les daba. Se esperaba que fueran responsables por los talentos que se les habían dado.

Dios esperaba que la vida de estas personas fueran fructíferas y lograran desarrollar al máximo su potencial. Podemos ver que se le dio la misma recompensa al que negoció con cinco talentos y obtuvo dos, como al que se le dio dos y obtuvo cuatro. A los dos se les dijo: "¡Bien, buen siervo y fiel!".

El único que fue castigado fue el que enterró el talento que se le había dado. Dios esperaba que el hombre hiciera algo con su vida, pero él la desperdició. El que enterró el talento fue motivado por el miedo y no por la fe. Fue el miedo y la inseguridad lo que le impidió aprovechar la oportunidad. El temor al fracaso hizo que se estancara en la mediocridad.

La fe le permitió a los otros dos tener éxito. La fe le permitió duplicar sus talentos y lograr lo que Dios había planeado. Sin embargo, el miedo detuvo al tercero y no aprovechó la oportunidad. Lo triste es que también perdió lo que había tratado de conservar.

Como dice un refrán: "Úsalo o piérdelo". Enterró el talento y Dios se lo quitó. ¿No es verdad que el miedo hace que las personas vean lo que pueden perder en vez de lo que pueden ganar? Como resultado de esto, con frecuencia, pierden de todas maneras. Es una simple muerte lenta. No hay nada más triste que darse cuenta de las oportunidades que se perdieron.

Sin embargo, una vida de fe ve el futuro con optimismo. La persona con una actitud mental positiva capitaliza las oportunidades y vive a pleno. También experimentan la próspera recompensa de la bendición de Dios. La vida de fe está llena de satisfacción.

Recuerdo la historia de cuando el famoso compositor, Ignace Jan Paderewski, tuvo que dar un concierto. Fue una tarde para el recuerdo. Los hombres tenían negros trajes de etiqueta y las mujeres usaban vestidos de fiesta. Era un encuentro de prestigio.

La multitud esperaba con entusiasmo a que Paderewski apareciera en el escenario. Mientras tanto un niñito se sentó con su madre. Claro que mantenerse sentado le era muy difícil a este energético niño de nueve años. En un momento que la madre se dio vuelta, el niño se fue. Para sorpresa de la madre, había llegado hasta el escenario. El bello piano Steinway captó la atención del niño. Para sorpresa de todos, el niño comenzó a toca la sencilla canción "Chopsticks".

La multitud comenzó a gritar para que sacaran al niño de allí. Decían: "¿Dónde están los padres?" Gritaban para que el niño saliera del piano. La escena era horrible. Pero el niño continuó tocando.

Paderewski escuchó los gritos de la multitud y apareció en el escenario. Pero, no evitó que el niño siguiera tocando. Es más, se paró detrás del niño e inclinándose comenzó a tocar una melodía de acompañamiento con el niño. Le susurró al niño en el oído para que continuara tocando. Paderewski creó una bella improvisación y juntos sonaba increíble. La audiencia se quedó encantada al escuchar que una canción tan simple se pudiera transformar en una bella melodía.

La multitud aplaudió cuando el famoso compositor le agregó su toque personal a la simple canción. Se transformó en una obra de arte a medida que el maestro que la ejecutaba y ponía su mano de bendición.

Mi amigo o amiga, usted puede sentir que su vida es tan sencilla como la canción que el niño tocaba. Pero si usted es fiel al servir al Señor con el talento que Él le dio, Dios transformará su vida en una bella sinfonía. Recuerde: "El éxito se da cuando la preparación se encuentra con la oportunidad".

Capítulo 21

Las personas exitosas crecen con los desafíos, Las personas fracasadas se acobardan con los desafíos

Una característica de la gente exitosa es que desean enfrentarse con el desafío. La perspectiva del éxito crecerá con los desafíos. Las personas exitosas aprenden a enfrentarse con los desafíos porque saben que se beneficiarán. En consecuencia, la gente exitosa aprende a enfrentar el desafío con la frente en alto. Sí, las personas exitosas crecen con los desafíos, y las personas fracasadas se acobardan con los desafíos.

La aventura de enfrentarse a un desafío las motiva. Anhelan escalar la próxima montaña. Dan un paso a la vez. Cuando llegan a la cima de una montaña pueden ver la otra. La vida está constantemente desarrollándose y evolucionando.

En el reino espiritual. los versículos de Mateo 19:26 son la clave de esta cuestión. Jesús dijo:

Para los hombres esto es imposible; mas para Dios todo es posible.

Lograr las cosas por medio del poder de Dios produce un gran entusiasmo.

Las personas exitosas no tienen la palabra "imposible" en su vocabulario. Después de todo. Jesús también dijo en Marcos 9:23:

Si puedes creer, al que cree todo le es posible.

La gente exitosa en el reino de Dios ha aprendido a superar

los miedos por medio de la fe. Se concentran en el poder de Dios, y no en la magnitud del desafío. Como puede ver, la gente exitosa crece con cada desafío. Tiene fe para creer que: "Los problemas de hoy los prepararán para lo que suceda mañana".

Sin embargo, la persona fracasada se acobardará con cada desafío. Se fundamentan en el miedo. Su meta no es tener éxito en la vida. No, su meta es simplemente sobrevivir en la vida.

La idea de crecimiento que presenta cada desafío les acarrea un miedo basado en la ansiedad. Las personas fracasadas sacrificarán las oportunidades de crecer en lo personal para poder mantener su seguridad personal. Con frecuencia se apartarán del camino que tenga algunos problemas. Pero, por lo general, este es el camino que no lleva a ninguna parte.

Como usted puede ver, Dios se vale de los problemas de la vida para moldear nuestro carácter. Él es el alfarero y nosotros somos el barro. El desafío de la vida hará que el barro sea suave y maleable en las manos del alfarero. Dios se valdrá de los desafíos de la vida para moldearnos a semejanza del Salvador.

Dios se valdrá de las experiencias dificultosas de la vida para acrecentar nuestra fe. En realidad, a medida que aprendemos a caminar con Dios y nos enfrentamos al desafío, aprenderemos a aceptar el próximo. Esta es una experiencia de aprendizaje maravillosa para aprender de la fidelidad de Dios y del poder de su Palabra.

Tenemos la oportunidad de aplicar estos poderosos versículos de la Escritura como los que encontramos en 2 Timoteo 1:7:

> *Porque no nos ha dado Dios espíritu de cobardía, sino de poder, de amor y de dominio propio.*

Sí, Dios quiere que nos movamos por fe y que no nos acobardemos con el miedo. Después de todo, Dios no abandona a sus hijos en la tierra. En realidad, la fe cristiana le da al creyente el poder de Dios para lograr el éxito que está motivado por el amor de Dios.

Sí, la vida cristiana es la mejor. El creyente tiene el Espíritu Santo en él. Por eso Romanos 8:31 dice:

> *¿Qué, pues, diremos a esto? Si Dios es por nosotros, ¿quién contra nosotros?*

Mi amigo, no permita que el diablo le quite el entusiasmo de vivir. Juan 10:10 dice:

> *El ladrón no viene sino para hurtar y matar y destruir; yo he venido para que tengan vida, y para que la tengan en abundancia.*

Sí, a Satanás le fascina que usted se concentre en lo negativo. Se deleita en quitarle el gozo. Su meta es que usted se concentre en los problemas de la vida. Quiere desanimar su espíritu y destruir su actitud espiritual positiva.

Sin embargo, Jesús tiene un plan mejor. Jesús le ofrece una vida abundante. Esta es la mejor cualidad de la vida. Hará que se concentre en las soluciones de Dios para enfrentar cualquier desafío. Jesús le dará la solución para sobreponerse a sus problemas.

Jesús lo facultará para que desarrolle el potencial que Dios le dio. Él le dará la fe que determinarán sus metas. Él lo mantendrá hasta que concrete su sueño. Jesús le dará una vida plena.

Sí, mi amigo, las personas exitosas crecen con los desafíos. Saben cuan valiosa es una vida con una visión. Viven por fe, lo que mejora su perspectiva de Dios. Esto desarrollará su confianza en Dios.

Sin embargo, la gente fracasada se acobarda con los desafíos. El miedo a fracasar los detiene. La mediocridad se transforma en su estilo de vida. Es una situación triste. Es triste porque no pueden verse a la luz del poder de Dios. Se aferran más bien a lo fácil. Se pierden la oportunidad de lograr lo imposible.

La Biblia está llena de relatos de personas comunes y corrientes que lograron éxitos extraordinarios. El punto en común es la fe que tienen en Dios.

Mi ejemplo preferido es el de Pedro caminando sobre las aguas para encontrarse con Jesús. Puede leerlo en Mateo 14:22-33.

Jesús había alimentado a 5000 personas con cinco panes y dos peces. Había demostrado su poder al multiplicar una pequeña cantidad de comida para tanta gente. Ahora, enviaba a sus discípulos a que cruzaran el Mar de Galilea en barca. Mientras tanto Jesús se fue a orar. En medio de la noche se avecinó una tormenta. Los discípulos estaban en alta mar y en medio de la tormenta.

Entre las tres y las seis de la mañana, el Señor se apareció caminando sobre las aguas. Obviamente, esto asustó a los discípulos. La Escritura dice que "dieron voces de miedo". Sin embargo, Jesús de inmediato le habló a los discípulos y los calmó. Les dijo: "¡Tened ánimo; yo soy, no temáis!"

Pedro se animó bastante. Después de todo, ¡su Señor estaba caminando sobre las aguas en dirección a la barca! Pedro se entusiasmó y decidió entrar en escena.

Recuerde que Pedro era un pescador. Un hombre común y corriente. Había crecido y trabajando en el negocio de la familia. Había estado en el Mar de Galilea incontables veces antes. Sin duda que se había enfrentado a varias tormentas antes. Por eso el miedo que demostraba nos ayuda a entender que se trataba de una tormenta seria. Después de todo, Pedro tenía experiencia para andar en barca.

También sabía que era humanamente imposible caminar sobre las aguas. Sin embargo, ahí estaba su Señor caminando sobre las aguas. Pedro supo que ese era el momento. La única gran oportunidad de experimentar lo imposible. Era la ocasión para vencer todo obstáculo posible. Su fe no podía ser mayor.

Pedro le pidió permiso al Señor para reunirse con Él. Jesús lo invitó a Pedro para que participara de ese momento monumental. Pedro salió de la barca y caminó sobre el agua. Sus ojos estaban puestos en Cristo mientras experimentaba el poder de Dios. Probablemente, Pedro tenía en mente el concepto de que"para Dios todo es posible". Aprovechó el momento y experimentó un milagro de fe.

Por un corto período de tiempo. Pedro estuvo en la cima del mundo. Había logrado lo que ningún ser humano había podido hacer antes. ¡Pedro estaba caminando sobre el agua con Cristo!

Los demás discípulos solo podían mirarlo con asombro. Pedro iba camino al éxito. Había acrecentado su fe para enfrentarse con el desafío. Había conquistado un increíble obstáculo por medio de la fe en Cristo. En determinado momento Pedro observó la tormenta y comenzó a hundirse. Pero, vamos a ser justos. ¡Después de todo, los otros once se quedaron sentados en la barca! Pedro había dado un paso de fe, y caminado sobre las aguas. También fue lo suficientemente astuto como para acudir al Señor cuando sintió que su fe flaqueaba.

Pedro exclamó: "Señor, sálvame!" El Señor Jesús de inmediato le extendió la mano y lo agarró. Jesús sigue haciendo lo mismo hoy. Él salva a todo aquel que se le acerca con fe. El Señor es misericordioso con todos los que acuden a Él.

Recuerde mi amigo o amiga, tan solo con un poco de fe, Pedro caminó sobre el agua. Piense en lo que usted puede hacer por medio del poder de Dios. Mantenga sus ojos puestos en Jesús y crezca para ser exitoso.

Nunca olvide que las personas exitosas crecen con los desafíos, y las personas fracasadas se acobardan con los desafíos.

CAPÍTULO 22

HAY UNA SOLA VEZ EN LA QUE PERDER SIGNIFICA GANAR

¡A todos les gusta ganar! A la gente le encanta unirse a los ganadores y apoyarlos. Es más, a los que son inconstantes, los llamamos "hinchas interesados".

Un "hincha interesado" es alguien que apoya al equipo cuando va ganando. Alentará al equipo mientras vaya ganando. Pero, si el equipo comienza a perder, este "hincha interesado" desaparecerá.

Esta es la cuestión. Todos apreciamos a los ganadores. El General Patton dijo una vez: "Los norteamericanos aprecian a los ganadores y no toleran a los perdedores". Vince Lombardi lo expresó así: "Si usted no puede aceptar perder, tampoco ganará". El General Douglas McArthur dijo: "En la guerra, la victoria no tiene reemplazo".

Estas declaraciones resumen lo que los competidores sienten por la victoria. Un competidor verdadero tiene ese furor en su espíritu que lo lleva a anhelar la victoria. El corazón se agita cuando piensa en ganar y el estómago se le estruja cuando piensa en la idea de perder. La sed de su alma solo se puede aplacar con la victoria. ¡VICTORIA es el único grito de batalla que el competidor quiere exclamar!

Sí , ya sea que se trate de un niño jugando en las ligas menores o de un adulto en la casa central de la corporación. A la gente le gusta ganar. Es el entusiasmo de la victoria lo que anhelamos experimentar.

Sin embargo, hay una sola vez en la que perder significa

ganar. Jesús dice que si lo seguimos por completo, debemos dejar de lado algunas cosas para tener algo más preciado. Lucas 9:23-25 dice:

> *Y decía a todos: Si alguno quiere venir en pos de mí, niéguese a sí mismo, tome su cruz cada día, y sígame. Porque todo el que quiera salvar su vida, la perderá; y todo el que pierda su vida por causa de mí, éste la salvará. Pues ¿qué aprovecha al hombre, si gana todo el mundo, y se destruye o se pierde a sí mismo?*

En este pasaje Jesús está enseñando sobre el verdadero logro. Es interesante darse cuenta de que esta enseñanza de Jesús se contradice con la cultura moderna. Parece que vivimos en la generación del "yo". El principio más importante es estar preparado para ser el número uno.

Pero, Jesús confronta esta idea de autosatisfacción. Jesús nos enseña sobre el sacrificio y la abnegación propia. Nos está haciendo saber la importancia de dejar de lado nuestros propios derechos.

Jesús les dice a sus seguidores que tienen que perder para poder ganar. Los seguidores de Cristo deben perder la batalla de la realización propia para ganar el mérito de vivir en el reino. Jesús llama a sus discípulos para que sean seguidores totalmente entregados a Cristo. Esto le permitirá a los cristianos experimentar el gozo de una vida centrada en Cristo.

A fin de perder para ganar, debemos vivir una vida completamente sometidos a Cristo. La fe en Cristo debe estar centrada totalmente en seguir a Jesús. Él es el Señor y Maestro del cristiano. Nuestra relación con Cristo debe ser la prioritaria. Jesús es el Señor y espera guiar nuestra vida. Debemos someter nuestra voluntad a Él. Tenemos que dejar de lado nuestros deseos personales y complacer al Señor.

Entonces Jesús recompensará nuestra vida con la verdadera satisfacción del alma. Viviremos por encima de nuestra naturaleza egoísta. Andaremos por el camino del éxito al servir con humildad a Cristo.

Sometemos al Señor se parece a dejar que un conductor nuevo tome el timón. Le damos a Jesús el timón de nuestra vida y dejamos que nos guíe en nuestras decisiones. Le entregamos al Señor los reinos de nuestra vida. Le permitimos a Cristo tener el total control de las decisiones. Permitimos que la Palabra de Dios guíe nuestras acciones. La buena noticia de su palabra es que "la verdad os hará libres". Luego la Escritura dice: "Así que, si el Hijo os libertare, seréis verdaderamente libres".

Como verá, una persona egoísta tiene una vida superficial. Cuando usted es el centro del mundo podría llegar a descubrir que después de todo "es un mundo pequeño". Jesús nos pidió que "tomásemos la cruz cada día". Esto nos da la idea de sacrificio. Sí, para ganar, debemos sacrificarnos.

En la época de los romanos, la cruz era un símbolo de muerte. Siempre se trataba de una ejecución pública cuando se crucificaba a alguien. Es más, la misma persona era la que cargaba la cruz. No tenía derechos ni esperanza. Se sometía por completo a la ley romana y sacrificaba su vida.

Por eso Jesús nos dice que llevemos la cruz y lo sigamos. Él nos está enseñando a sometemos a la palabra de Dios y a sacrificar nuestra vida para servirlo a Él. Jesús nos llama a una vida consagrada a la voluntad de Dios.

Sin embargo, no se trata de una vida en ruinas. Es una vida de victoria. Jesús promete bendecir a sus seguidores con una vida significativa. Una vez que usted le entrega su vida a Cristo, le dará una nueva perspectiva. Aprenderá a dejar de lado lo temporal y a vivir para lo eternal. El resultado será una recompensa rica de paz interior y una satisfacción que solo Cristo puede dar.

Cuando usted piensa en ganar debe considerar la gran dinastía de los New York Yankees. Tuvieron durante años los mejores jugadores y equipos. Para mencionar algunos tuvieron a Babe Ruth, Lou Gehrig, Joe DiMaggio, Mickey Mantle, Roger Maris, Yogi Berra y ganaron el campeonato mundial. Uno de esos magníficos jugadores sorprendió a la liga mayor de béisbol, cuando dejó de jugar en la cima de su carrera. Se trata de Bobby Richardson.

Bobby ganó siete veces todas las estrellas y cinco veces fue ganador del guante de oro. Jugó en la segunda base en 1961 para los Yankees, que era considerado el mejor equipo. No era un desconocido en el campeonato mundial.

Era el jugador más cotizado de la serie mundial en 1960, a pesar de que los Yankees habían perdido contra los Pittsburgh Pirates. En 1962, fue a la cabeza en la liga norteamericana con 209 bateos.

Bobby era un gran jugador en un gran equipo. Estaba en una posición que muchos envidiarían estar. Era el jugador estrella en una dinastía de ganadores. Sin embargo, en 1966, a los 31 años de edad, en la cima de su carrera, se retiró del béisbol. El dueño de los Yankees trató de convencerlo de que no dejara. Le ofreció un contrato en donde él estipulara su salario.

Bobby le explicó que no se trataba de dinero. Su decisión se basaba en valores de familia. Quería pasar más tiempo con su familia. Por eso, dejó esta increíble oportunidad.

Bobby es cristiano y sintió que el Señor quería sacarlo del camino para regresarlo al hogar con su familia. Dejó la fortuna y la fama para dedicarle tiempo a la familia. Quería estar con sus hijos y verlos crecer.

El resultado: Tuvo la oportunidad de ser un esposo y un padre cariñoso que compartió muchos momentos con su familia. Le transmitió la fe en Cristo a sus hijos. Dos de sus hijos son ministros del evangelio.

Bobby ha permitido que el Señor lo use de una forma poderosa. Hasta tuvo el privilegio de visitar a Mickey Mantle en su lecho de muerte. A pedido de Mantle, Bobby Richardson pudo guiar a Mickey Mantle a Cristo.

Mi amigo o amiga, hay una sola vez en la que perder significa ganar. Cuando usted deja de lado la ambición personal y sigue al Señor con completa devoción. Perder la vida al servicio de Cristo es ganar en esta vida y en la vida que vendrá.

Capítulo 23

La fe prosigue cumplir con su sueño

Se dice que "atreverse a soñar es atreverse a vivir". Sí, hay poder al intentar cumplir con los sueños. No creo que haya alguien que se rehúse a abandonar sus sueños. La fe prosigue cumplir con su sueño. La fe da lugar a una vida abundante.

El salmista dice en el Salmo 27:13-14:

Hubiera yo desmayado, si no creyese que veré la bondad de Jehová en la tierra de los vivientes. Aguarda a Jehová; esfuérzate, y aliéntese tu corazón; sí, espera a Jehová.

Nadie pierde el corazón si tiene la mente puesta en una fe positiva. La fe produce vida. La fe positiva dice que la bondad de Dios brilla sobre nosotros. Experimentaré la grandeza de Dios y su bondad aquí y ahora. Estaré motivado mientras espere en el Señor.

Este tipo de fe nos proyecta al futuro porque el aliento proviene del Señor. El corazón animado tendrá fe para cumplir con su sueño. Walt Disney dijo: "Si tú puedes soñarlo, puedes hacerlo; después de todo, esto comenzó con un ratón".

Veamos la historia de Walt Disney. A los 17 años, era un joven que lavaba los frascos y aplastaba las manzanas en una fábrica de dulces en Chicago. Su padre era el supervisor y lo ayudó a establecerse en el trabajo.

Pero los sueños de Walt eran mayores. En 1919, a los 17 años, se mudó a la ciudad de Kansas para buscar un trabajo en donde pudiera ejercer su talento como artista. La idea de ganarse la vida dibujando lo llevó a intentar su sueño.

Su primer trabajo como aprendiz fue diseñar avisos para equipos usados en la granja. Esto duró dos meses, desde octubre a noviembre. Una vez que llegaron los apuros de las fiestas, no hubo más trabajo y lo despidieron.

Al poco tiempo, consiguió un trabajo, en Kansas, con una compañía que hacía avisos publicitarios filmados . Había que producir 60 segundos de película con caricaturas cómicas para mostrarlas durante los cortes comerciales en los cines locales. Se usaban recortes de cartón delgado en lugar de dibujos.

Disney quería progresar. Persuadió a su jefe para que le prestara una cámara y comenzó con otro empleo a la noche. Su experimentación y fuerza de voluntad lo ayudaron a mejorar el proceso.

Al poco tiempo produjo una caricatura animada llamada "Laugh-O-Grams". La mostraron en el cine local y la recibieron con entusiasmo. En breve, Walt tuvo suficiente dinero para comprarse una cámara y devolverle la prestada a su jefe.

Decidió tener fe y hacer que su sueño fuera realidad. Comenzó su propia compañía. Produjo películas como "Caperucita Roja" y "El gato con botas" y le dieron a la compañía un buen comienzo. Disney extendió la compañía empleando más personal

A pesar de que su distribuidor en Nueva York no le enviaba el porcentaje correspondiente a la compañía Laugh O-Gram. Walt Disney tuvo que quedarse sin el personal. Y hasta entregar su apartamento y dormir en la oficina. Fue a la quiebra y su compañía desapareció.

Los próximos dos años fueron muy deprimentes. Sobrevivió gracias a que le gustaban los frijoles. Prácticamente era lo único que tenía para comer. Hacía trueques con sus caricaturas a cambio de cortes de pelo y en ciertas ocasiones le daban dinero.

En 1923 decidió dejar la ciudad de Kansas y comenzar en un lugar nuevo. Se mudó a la costa oeste con 40 dólares en el bolsillo. Hollywood parecía ser su nueva "tierra prometida". Pero allí se desanimó aún más. Los estudios estaban desapareciendo y las oportunidades escaseaban. Los gigantes, como MGM, Universal y Paramount no estaban interesados en el trabajo de Walt Disney.

Finalmente, con desesperación, Walt Disney tomó prestado 500 dólares y comenzó su propio negocio con su hermano Roy. Revivió la compañía "Laugh-O-Gram". Walt consiguió un contrato con un distribuidor de Nueva York para una serie de "Alicia en el país de las caricaturas". Se le ofreció 1500 dólares por película.

En breve comenzaron a llegar las ganancias y el futuro se veía brillante. El trabajo de los hermanos Disney estaba dando muestra de ser un negocio lucrativo. El trabajo duro y la actitud perseverante finalmente estaba dando su recompensa. Todo lo que tocaban se convertía en oro.

Sin embargo, comenzó a darse algo extraño. El cuñado del distribuidor de Nueva York viajaba todos los meses a California para recoger la película. Su reputación crecía entre los empleados clave de Disney. Walt comenzó a sospechar de las intenciones del hombre.

Entonces, Walt Disney y su esposa viajaron a Nueva York. Quería renegociar el contrato. Walt estaba actualmente recibiendo 2250 dólares por película y pedía que se la aumentaran a 2500. Pero el distribuidor de Nueva York le ofreció solamente 1800 dólares.

Le dijeron que lo aceptara o rechazara. El distribuidor también lo amenazó con darle trabajo a los empleados de Disney y quitárselos. Angustiado por la situación, Disney rechazó la oferta. Con seguridad el distribuidor le robaría los empleados clave, y dejaría a Disney en la quiebra.

Walt Disney se deprimió muchísimo. Fue hasta la estación de trenes con su esposa y regresó. El sueño de ser dueño de su propia compañía y de proveer para su familia se desmoronaba frente a sus ojos. El futuro se veía oscuro y deprimente. Walt había trabajado tan duro, y ahora todo estaba perdido. Tomaron el tren y el corazón de Walt estaba destrozado.

Sin embargo, el viaje de costa a costa fue casi terapéutico. Parece que era justo lo que Disney necesitaba. De repente comenzó a fluir de nuevo su creatividad. Su sueño comenzó a redefinirse en lugar de a demolerse. Comenzó a idear una nueva serie de caricaturas. Walt estaba dibujando y haciendo bosquejos en el tren con gran entusiasmo. A medida que el tren avanzaba su creatividad aumentaba. Walt Disney le comentó a su esposa sobre una nueva serie llamada el "ratón Mickey". El resto es historia.

Sí, la fe prosigue cumplir con su sueño. Nunca olvide que la noche más oscura se da justo antes del amanecer de un nuevo día. ¿Qué si Walt Disney se hubiera desanimado y hubiese abandonado todo? Su mayor logro se habría quedado enterrado en el desánimo.

Mi amigo o amiga, tenga fe en Dios y procure que su sueño se haga realidad. Permita que Jesucristo viva en usted y será capaz de hacer más de lo que se imagina. Efesios 3.20-21 dice.

Y a Aquel que es poderoso para hacer todas las cosas mucho más abundantemente de lo que pedimos o entendemos, según el poder que actúa en nosotros, a él sea gloria en la iglesia en Cristo Jesús por todas las edades, por los siglos de los siglos. Amén.

Sí, Dios lo facultará más allá de lo que usted puede imaginar para que glorifique a Cristo con su vida. Él murió por nuestros pecados y resucitó. Jesús le dará una vida plena y significativa. Tenga fe en Cristo y cumpla con el sueño que Dios tiene para usted.

Capítulo 24

El destino del mañana es el resultado de las decisiones del hoy

Cuando Jacob, nuestro hijo menor, tenía solo doce años, tuve la oportunidad de ser el entrenador del equipo perteneciente a la liga menor All Star. Me debatía tratando de tomar una decisión entre: "¿De aquí a veinte años, ¿quiero mirar el pasado y decir: 'ojalá lo hubiera hecho' o 'me alegro de haberlo hecho'?" En consecuencia, decidí ser el entrenador del equipo. Tuvimos un éxito inmenso al ganar en el distrito y llegar a las finales. Pero lo más importante fue que nos hicimos amigos de por vida y les enseñamos a los niños valores que influirían en sus vidas.

Esto me lleva a preguntarle a usted: ¿Se está cuestionando "ojalá lo hubiera hecho" o "me alegro de haberlo hecho"? En otras palabras: "¿Vive usted lamentándose o está satisfecho con su vida?" La gente que vive a pleno y llega al máximo de su desempeño comprende que "el destino del mañana es el resultado de las decisiones del hoy". Dé todo de sí hoy porque Salmos 118:24 dice:

Este es el día que hizo Jehová; nos gozaremos y alegraremos en él.

Parecería que muchas personas están crucificadas entre dos ladrones. El lamento por lo pasado y las preocupaciones del futuro. La triste realidad es que ambos nos roban las energías y el entusiasmo de hoy.

Seamos realistas, nadie puede cambiar lo que sucedió ayer. Después de todo, nadie puede atrasar el tiempo y volver a vivir el ayer. Sin embargo, mucha gente gasta su preciosa energía anhelando poder cambiar su pasado. Se repiten en la mente las malas decisiones tomadas, las oportunidades perdidas y los viejos recuerdos de situaciones dolorosas. Sin embargo, lo triste es que nada podrá modificar el pasado. Debemos soltarlo y seguir adelante.

Otros ven el futuro con temor. Muchas personas gastan tiempo y energía preocupándose por las cosas sobre las que no tienen control. Piense en todas las preocupaciones y temores que atormentaron a muchas personas en el 2000. Muchos fatalistas tenían la idea de que veríamos un caos mundial. Hasta muchos cristianos actuaban como si Jesús fuera a bajarse de su trono el 1º de enero del 2000.

Muchas personas invirtieron miles de dólares al preparase para lo peor. Almacenaron alimentos y provisiones por temor a que todo se perdiera. Algunos hasta compraron armas para protegerse en caso de un potencial desastre mundial.

Esta es la cuestión: Desperdiciamos la vida cuando nos lamentamos por las cosas del pasado o nos preocupamos por el futuro. Las personas que poseen gran energía y que buscan grandes logros aprovechan el momento. Sí, aprenderán del pasado para prepararse para el futuro. Pero, no perderán tiempo ni energía en las situaciones que no pueden cambiar ni controlar.

El apóstol Pablo entendió muy bien este concepto de que "el destino del mañana es el resultado de las decisiones del hoy". No perdió su precioso tiempo lamentándose por el pasado o preocupándose por el futuro. Se concentró en olvidar el pasado y en proyectarse al futuro por fe. Filipenses 3:13-14 dice:

> *Hermanos, yo mismo no pretendo haberlo ya alcanzado; pero una cosa hago: olvidando ciertamente lo que queda atrás, y proyectándome a lo que está delante, prosigo a la meta, al premio del supremo llamamiento de Dios en Cristo Jesús.*

¿Puede imaginarse la sanidad que ocurriría en los hogares si esto se aplicara? Los esposos y las esposas viniendo juntos a la cruz dirían: "Nos olvidaremos de las cosas que sucedieron y nos proyectaremos a las cosas que tenemos por delante. Miraremos el futuro con la paz de Dios reinando en nuestro corazón".

¿Puede imaginarse las actitudes que cambiarían si la gente dejara de lamentarse por el pasado o de preocuparse por el futuro? Piense, en el poderoso impacto que podemos ejercer unos a otros con una simple actitud positiva que dice: "Este es el día que hizo Jehová; nos gozaremos y alegraremos en él".

Es verdad mi amigo, Dios nos ha dado el hoy. ¿Por qué no aprovechar al máximo la oportunidad que Dios nos da hoy? ¿Por qué no capitalizar desde hoy el potencial que nos da Dios? Simplemente escoja tomar una decisión que muestre progreso en su futuro.

No mire atrás y diga: "Ojalá lo hubiera hecho". Deje de lado los "no puedo". Tome la decisión que lo lleve a decir con alegría: "Me alegro de haberlo hecho".

De paso, asegúrese de confiar en Cristo como su Salvador hoy. La Escritura dice: "Hoy es el día de la salvación". Sí, Él ofrece el regalo gratuito de la vida eterna por medio de una relación personal con Cristo. Todo lo que necesitamos hacer es invitar a Cristo a nuestra vida por fe. Simplemente diciéndole a Dios que cree que Jesús murió por sus pecados y resucitó. Luego, por fe invite a Cristo a su vida como Señor y Salvador.

Mi amigo o amiga, al tomar una decisión por Cristo usted expresará de corazón: "Me alegro de haberlo hecho".

Sí, "el destino del mañana es el resultado de las decisiones del hoy". No viva lamentándose por el pasado o preocupándose por el futuro. Deje que Jesús perdone lo pasado y lo redirija al futuro. Es el camino al verdadero éxito que solo Cristo puede dar.

Hace años comencé a trabajar como pastor en la iglesia bautista New Life Baptist Church. En los primeros años del ministerio nuestros hijos eran pequeños. En realidad, cuando comenzamos a servir al Señor de tiempo completo nuestro hijo mayor tenía cuatro años y el menor dos. Luego, Dios nos bendijo con dos hijos más.

Sin embargo, desde el primer día de mi pastorado, me propuse que no descuidaría a mi familia. Mis hijos verían a su papá más allá del púlpito. Me propuse que el ministerio no interferiría con mi rol de padre y que le dedicaría tiempo a mis hijos.

En todos estos años me he regocijado mucho al entrenar los equipos de mis hijos y participar como padre. Ha sido fantástico verlos crecer. En algún momento dejaré que alguien con más práctica me releve como entrenador. Pero hasta ahora, las relaciones desarrolladas en dichos eventos han sido valiosísimas. Siempre apoyamos a los niños en las actividades que les interesan y de las cuales participan.

También hemos decidido que el tiempo que pasamos como familia es prioritario. Durante años hemos tenido una noche que es "para la familia". Este es el momento precioso para disfrutar como familia. Tenemos muchos recuerdos hermosos de esas "noche de familia".

También las vacaciones anuales en familia son una prioridad. Hemos hecho muchas cosas: rentar una cabaña, irnos de campamento, viajar por el país e ir a Disney World en Florida, EE.UU. Hemos visto las cataratas del Niágara y por supuesto hemos ido al Cedar Point y subido a todos los juegos.

Lo importante aquí es que nuestra familia es prioridad. Cindi y yo nos amamos y amamos a nuestros hijos. Vivimos la vida sin lamentarnos.

Finalmente, llegó el día en que Cindi y yo tuvimos que llevar a nuestro hijo mayor, Michael, a la universidad a unas 800 millas (1300 km) de casa. Fue un momento difícil y sabíamos que lo extrañaríamos muchísimo. Él es un buen ejemplo para sus dos hermanos menores, y su pequeña hermana lo admira mucho también. Su influencia en la familia es muy positiva y su ausencia sería dolorosa. Sin embargo, estábamos contentos porque había decidido estudiar Biblia en el instituto Word of Life Bible Institute de Schroon Lake en Nueva York.

Por último, llegó el momento de decir adiós. Yo tenía un nudo en la garganta y decir adiós me era muy difícil. Después lo vimos irse lentamente al dormitorio que le correspondía en el internado de la universidad. Los años transcurrieron delante de mis ojos.

Parece que fue ayer cuando nos regocijamos con el nacimiento de nuestro primer hijo. Mientras se iba, lo podía recordar como un bebé dando sus primeros pasos. Lo podía ver vestido con su primer uniforme de fútbol. Podía imaginarme al pequeño niño ganando el juego en la liga menor. Todo apareció ante mí mientras él se dirigía a su dormitorio; desde que era un niño hasta que se convirtió en un joven.

Debo admitir que la emoción casi me abrumaba. Sin embargo, una idea vino a mi mente. “Estoy feliz de haber sido parte de su vida”. Estoy feliz de poder decir sin tener de que arrepentirme ni decir :”Ojalá lo hubiera hecho”. Estoy feliz de haberlo criado en la iglesia. Estoy feliz de que se interese en las cosas espirituales. Estoy feliz de que seamos ejemplos positivos para él. Estoy feliz de tener tantos recuerdos preciosos como familia. Aunque no sé qué pasará en el futuro, estoy feliz porque sirvo a un Dios que sí sabe.

Mi amigo o amiga, viva para Cristo y usted podrá decir: “Me alegro de haberlo hecho” en vez de “Ojalá lo hubiera hecho”. Tome las decisiones adecuadas para asegurarse un destino positivo para el mañana. Sí, “el destino del mañana es el resultado de las decisiones del hoy”.

Capítulo 25

La felicidad hace que la pila de leña se agrande

La Escritura menciona en Hechos 20:35, que Jesús dice: "Mas bienaventurado es dar que recibir". Se le ha llamado a esta frase la bienaventuranza más importante porque la palabra "bienaventurado" quiere decir "muy feliz". En esencia, Jesús enseña el principio de que la verdadera felicidad es darse a sí mismo y ofrecer los recursos que uno tiene para hacer de este mundo un mejor lugar para vivir. La felicidad hace que la pila de leña se agrande.

Piénselo de esta manera. Suponga que vive en la época en que la madera se usaba como combustible. Se la utilizaba para calentar la casa y cocinar la comida. La leña para el fuego era un producto muy importante.

Supongamos que las personas tienen una pila de leña en común para usarla cuando necesitan. Cualquiera en la comunidad puede usarla. Se da por sentado que si alguien saca algo de leña, después tendrá que reponerla.

Creo que nos encontraríamos con tres tipos de personas en esta situación. Algunos devolverían la cantidad exacta que usaron. Contribuirían con lo justo.

Otros devolverían menos de lo que usaron. Después de todo, cortar madera es un trabajo para la comunidad. Alguien más lo podría hacer. Piensan que muchas personas darían más y recogerían las sueltas.

Sin embargo, un tercer grupo le agregaría a la pila más de lo que sacó. Harían más de lo que les corresponde. Quieren ser de bendición para los demás y no una carga para la comunidad. Para ellos la felicidad es hacer que la pila de leña se agrande.

¿Se imagina cómo sería la vida si esto se aplicara a la familia, al trabajo y a la comunidad? La atmósfera en el hogar, en el trabajo y en la comunidad cambiaría de la noche a la mañana. Las personas dejarían de vivir de forma egoísta para vivir de forma altruista.

Muchos de nuestros problemas diarios se solucionarían. Las luchas cotidianas desaparecerían a medida que las personas "caminaran la milla extra" por los demás. La tensión en el hogar desaparecería. Las luchas de poder en el trabajo desaparecerían. Los valores de la comunidad se elevarán si las personas están atentas a las necesidades de los demás.

Jesús dijo en Lucas 6:38:

Dad, y se os dará; medida buena, apretada, remecida y rebosando darán en vuestro regazo; porque con la misma medida con que medís, os volverán a medir.

Podríamos decir que la vida es como un eco, lo que emites es lo que recibes. Sí, darle a los demás será una bendición para usted. Creo que dar sin egoísmo es la clave de una vida gozosa. La verdadera felicidad la encontramos al ayudar a otros. Dar para suplir las necesidades de los demás, quita nuestros ojos de nuestros problemas. Las personas más miserables son las que tienen una perspectiva egoísta de la vida.

Sin embargo, la persona que de verdad es feliz y estable tiene un alma generosa. Vivir de un modo egoísta es síntoma de inmadurez. Después de todo, una de las primeras palabras que los bebés aprenden es "mío". El viejo trío de "mío, mi y yo" puede de verdad llegar a ser un mundo egoísta e infeliz. Muchas personas, por otra parte, experimentan el gozo de vivir en un plano elevado.

Permítame que comparta con usted algunas cosas que puede dar que no le costarán un centavo. Sin embargo, la retribución que le brindará a los demás será inestimable.

Para empezar puede regalar una sonrisa. Esto será una gran bendición para los demás. Por lo general, la gente le sonríe en respuesta. Si usted está viendo caras tristes y enfadadas todo el día, será mejor que se observe en el espejo para ver qué dice su cara. Sonría y el mundo le responderá con una sonrisa.

Proverbios 17:22 dice:

El corazón alegre constituye buen remedio

Sí, hay un valor terapéutico en la sonrisa. También requiere menos trabajo. Se dice que se necesitan usar más músculos para fruncir el ceño que para sonreír. Créame, fruncir el ceño no vale la pena. Déle a alguien hoy un regalo saludable y ofrézcale una sonrisa alentadora.

Luego, déle una palmada en la espalda . Hay muy poca distancia entre una palmada en la espalda y un golpe en la posadera, pero son dos cosas totalmente diferentes. La gente necesita la afirmación positiva que brinda una "palmada en la espalda".

Ofrézcale a alguien un halago sincero. Quizá pueda reafirmar una cualidad que usted admira en la persona. Refuerce las cualidades de fidelidad, honestidad, integridad, lealtad y trabajo arduo. Tenga presente el talento y las cualidades de la persona. Identifique una cualidad y halague a la persona por eso.

Anime a alguien. Aliente a alguien hoy. Alentar significa motivar a una persona dándole esperanza y ánimo. Proverbios 12:25 dice:

La ansiedad en el corazón del hombre lo deprime; mas la buena palabra lo alegra.

Acá hay algo que usted puede dar que será de bendición para los demás. Otorgar "el beneficio de la duda" a alguien. Esto fortalecerá la relación con los demás. Desarrollará la lealtad y la confianza que constituyen una buena combinación.

¿Qué le parece ofrecerle a alguien "escucharlo"? El Señor nos dio una boca y dos oídos. Usarlos adecuadamente sería muy sabio. Dale Carnegie, autor del libro *"Cómo ganar amigos e influir sobre las personas"* dice: "Usted puede hacer más amigos en dos meses al interesarse por las personas que lo que puede hacer en dos años tratando de que las personas se interesen por usted". Escuchar a las personas les hace saber que usted se interesa por ellas. También le comunica a ellos lo que representan para usted.

Otras cosas que usted puede hacer serían:

1. Visite o llame a algún amigo con quien tenga que restaurar su relación. Tome la iniciativa. Se alegrará de hacerlo.

2. Usted puede colaborar con una buena causa. Todos nos sentimos mejor cuando colaboramos como voluntarios en algo digno. Dedique algunas horas de trabajo a la iglesia o a algún proyecto comunitario. Se sentirá bien si da algo de usted a su comunidad.

3. Dedicarle tiempo a un niño. Será una buena inversión de tiempo.

4. Ore por alguien. Todos necesitamos un poco de ayuda "de arriba".

Otra cosa que puede ofrecer es una actitud positiva. Asegúrese de que su actitud sea fascinante. Básicamente, estoy hablando de que nos amemos los unos a los otros. De realizar buenas acciones que iluminen el mundo de alguna persona.

Jesús con seguridad dejó la pila de leña más grande de lo que la encontró. Creó los árboles para tener leña. Luego usó la madera para construir la vieja y áspera cruz. Jesús murió en la cruz y pagó por los pecados del mundo. La Biblia dice: "El cual por el gozo puesto delante de él sufrió la cruz".

Mi amigo o amiga, el gozo que Jesús experimentó en la cruz del calvario fue el regalo que Él ofreció a la humanidad. Jesús murió en la cruz y resucitó para que pudiéramos experimentar una relación con Dios. La Biblia dice que hay gozo en el cielo cuando una persona conoce a Cristo como Salvador.

Una vez que confiamos en Cristo, tenemos el poder para vivir de una forma altruista en vez de en una forma egoísta. El egoísmo le acarrea cargas a la vida. Pero, el altruismo transforma las cargas en vida. Sí mi amigo, la felicidad hace que la pila de leña se agrande.

Capítulo 26

Un EQUIPO es:
CUANDO TODOS JUNTOS PUEDEN LOGRAR MÁS

La gente que trabaja junta siempre puede lograr mayores cosas que un individuo trabajando solo. En consecuencia, podemos definir adecuadamente la palabra EQUIPO como: cuando todos juntos pueden lograr más.

El entrenador Vince Lombardi expresó con respecto al trabajo en equipo: "El compromiso individual aportado a un esfuerzo grupal es lo que se requiere para que el equipo funcione, la compañía funcione, la sociedad funcione, la civilización funcione". También dijo que "el trabajo en equipo de los Green Bay Packers era la clave. No lo hacían por la gloria individual sino porque se apreciaban mutuamente". Lombardi también dijo: "El amor del que hablo es lealtad, trabajo en equipo, el aprecio que un hombre siente por el otro".

Sí, sin lugar a dudas. El trabajo en equipo es crucial en el atletismo y de importancia vital en el juego de la vida. Acá hay algo para considerar: El trabajo en equipo es tan importante para Dios que en Génesis 2:18 dice:

No es bueno que el hombre esté solo; le haré ayuda idónea para él.

Dios creó a la familia como la primera estructura de equipo para ayudarnos en el juego de la vida.

Sí, Dios quiere que las personas trabajen juntas. Dios también nos instruye en su Palabra para que aprendamos a valorar el trabajo en equipo, para que animemos a otros y nos ayudemos mutuamente en nuestra travesía por la vida.

Considere Eclesiastés 4:9-10, 12:

> *Mejores son dos que uno; porque tienen mejor paga de su trabajo. Porque si cayeren, el uno levantará a su compañero; pero ¡ay del solo! que cuando cayere, no habrá segundo que lo levante. Y si alguno prevaleciere contra uno, dos le resistirán; y cordón de tres dobleces no se rompe pronto.*

Esencialmente, Dios está diciendo que necesitamos ayudarnos. La vida tiene sus asperezas y, en ocasiones, impedimentos. Sin embargo, las personas que trabajan juntas tendrán ventaja sobre aquellos que decidan trabajar solos. Básicamente, Dios está enseñando el concepto de que juntos cada uno logra más.

Observé este principio ponerse en práctica una temporada en que alentaba a mi hijo, Joseph, en el equipo de lucha de Mishawaka Varsity. Parecía que había nacido para la lucha por su naturaleza agresiva y su intenso espíritu competitivo. Siempre era emocionante observar a Joseph y a sus compañeros de equipo vencer a los oponentes. El éxito que alcanzaron durante la temporada de 1999-2000 se reduce a una palabra: EQUIPO. Los increíbles logros que obtuvieron se debieron a los esfuerzos y a la dedicación de todo el equipo.

Creo que su camino a las finales comenzó desde el primer día de práctica. Los entrenadores les enseñaron la importancia vital del trabajo en equipo. Enseñarles el valor de trabajar en EQUIPO no era una tarea fácil para un deporte individual como la lucha. Sin embargo, lograron un trabajo magnífico al crear un espíritu de equipo.

El entrenador hizo más que preparar a los luchadores para una competencia individual. Formó a los atletas como equipo. Se transformaron como en una familia. Se interesaban de verdad los unos por los otros y por el éxito del equipo en general.

Aprendieron a animarse observando cómo los entrenadores animaban al equipo. Ya sea que ganara o perdiera, los entrenadores siempre respetaban la dignidad del luchador y constantemente lo animaban.

Por lo tanto, se desarrolló un espíritu familiar gracias a los comentarios positivos. Después de todo, las familias que se quieren se mantienen unidas en las buenas y en las malas. Las familias cuyos lazos son fuertes aplauden las victorias de sus miembros y animan a los que han experimentado frustración. Los miembros de una familia que se quiere se apoyan cuando están deprimidos. Se alientan para volver a estar animados.

Como se imaginará, el equipo funcionó como una familia unida y obtuvo un inmenso éxito. Lo importante era que cada luchador contribuyó de forma significativa al equipo durante el torneo estatal. Algunas veces era un luchador que vencía a su oponente en el torneo cuando antes había perdido en la temporada regular. Otras veces ganaban unos puntos extras para el equipo al inmovilizar al oponente.

Algunas veces se trataba de competir con el corazón de un león y de pelear hasta el final. La meta era siempre la misma: Hacer un esfuerzo extra para el equipo. No era un grupo de individuos que simplemente hacían lo suyo para computarles puntos al equipo. Oh, no, era más que eso. Era un equipo trabajando junto con una meta en común.

El equipo llegó a las finales del torneo. Quedaban solo ocho equipos, lo mejor de lo mejor de Indiana y seguía la intensa competencia. Era una pelea decisiva sacada directamente de las páginas del "*Old West*" (Lejano Oeste). La multitud se había reunido y las calles estaban vacías como si se tratara de un tiroteo al viejo estilo del "OK Corral".

Dos días antes de la pelea decisiva, a los Cavemen les avisaron que un luchador no estaba calificado para participar. Sin embargo, los Cavemen rehusaron dejarse acobardar y enfrentaron la adversidad como equipo. Demostraron el tipo de firmeza que solo se halla en el corazón de los campeones.

Comenzaron por vencer a Belmont, en sexto lugar y con motivación. Fue una intensa lucha. Mishawaka hizo que los hinchas dieran un grito ensordecedor al ganar la pelea en la competencia más reñida en la historia del torneo estatal.

Después vino el equipo en segundo lugar desde Franklin, quienes ya habían derrotado anteriormente a Mishawaka, en la única pelea que estos perdieron en la temporada. Ahora era el momento del desquite. Los luchadores se esforzaron al máximo. Cada miembro del equipo dio todo de sí para ganar.

Mishawaka había obtenido una victoria tras otra con escasos puntos de diferencia. Lo logró gracias al increíble espíritu de equipo.

Sí, los Cavemen finalmente fueron derrotados por los Mater-Dei de Evansville, y Mishawaka quedó segundo en el estado. Sin embargo, lo importante fue que un grupo de jóvenes demostró claramente el concepto de EQUIPO, por el cual juntos se logra más.

Dicho sea de paso, el Dios todopoderosos nos invita a sumarnos a su equipo. Dios envió a su Hijo el Señor Jesucristo para morir en la cruz por nuestros pecados. Él pago el precio por nuestro pecado. Resucitó al tercer día y ofrece el regalo de la vida eterna a todos aquellos que creen en Él.

Sí, 2000 años atrás, Cristo ganó la mayor victoria para todo el equipo de la raza humana. No fue una competencia cuando Jesús derrotó a Satanás en la cruz. Dios, el Padre, hizo sonar el silbato cuando los clavos perforaron las manos y los pies de su Hijo. En aquel momento el enemigo fue totalmente derrotado sin siquiera tener la oportunidad de anotarse un punto.

Mi amigo o amiga, Jesús no permitió que hubiera ninguna anulación, ni dejó escapar a Satanás. Su victoria trajo a los ángeles del cielo a sus pies y todo el mundo escuchó los aplausos.

Jesús demostró su amor por toda la raza humana cuando sacrificó su vida en la cruz por nuestros pecados. Juan 3:16 dice:

> *Porque de tal manera amó Dios al mundo, que ha dado a su Hijo unigénito, para que todo aquel que en él cree, no se pierda, mas tenga vida eterna.*

Sí, Dios ama al mundo entero y nos invita a unirnos al equipo de su Hijo por fe. Unirse a su equipo significa que experimentaremos la paz y el perdón, y que también usted experimentará al Señor como su amigo y a la palabra de Dios como su guía.

Como su amigo, Jesús siempre lo levantará cuando se sienta deprimido o derrotado. Como su guía, la Palabra siempre lo dirigirá en el camino correcto. Mi amigo, súmese al equipo del Señor y descubrirá que juntos, con el Señor, cada uno puede lograr más.

Capítulo 27

Bendecida es la nación cuyo Dios es el Señor

¡Creo que Estados Unidos es el país más magnífico en el mundo! Me siento orgulloso de ser un estadounidense patriótico y de ver flamear la bandera. Estoy agradecido por la libertad que experimentamos en esta tierra de oportunidades. También estoy orgulloso de nuestro legado espiritual. Salmos 33:12 dice:

Bendecida es la nación cuyo Dios es el Señor.

Sí, estoy convencido de que quienes establecieron nuestro país se basaron en principios bíblicos. Por ejemplo en abril de 1607, cuando los primeros colonizadores fundaron la colonia Jamestown en Cape Henry, erigieron una cruz de madera y oraron en público. El 11 de noviembre de 1611, cuando se firmó el pacto Mayflower en Cape Cod, declararon que su propósito era "darle gloria a Dios y extender la fe cristiana". El 16 de diciembre de 1611, cuando llegaron al puerto Plymouth, "se arrodillaron y bendijeron al Dios de los cielos".

Mi amigo, estas personas eran cristianos con elevados valores morales que habían navegado valientemente hacia América en búsqueda de la libertad religiosa. Su meta era establecer familias, comunidades y escuelas, que honraran al Dios todopoderoso. Los puritanos construían las iglesias antes que sus propias casas. Toda la comunidad asistía a la iglesia para escuchar al pastor predicar sobre la palabra de Dios. Fue la enseñanza bíblica en la casa de adoración lo que le dio forma a este país.

Patrick Henry, quien dijo: "denme la libertad o la muerte",

también expreso: "Solo podría anhelar dejarle a mi familia mi fe en Cristo, porque sin esta fe, nada vale la pena". Benjamín Franklin dijo: "Estoy seguro de que Dios no fue un mero espectador cuando esta gran nación surgió en su nombre y con su gracia divina". En 1787, cuando batallábamos al escribir la constitución, Benjamín Franklin citó el Salmo 127:1 que dice:

> *Si Jehová no edificare la casa, en vano trabajan los que la edifican.*

Luego invitó a que se orara durante dos días.

Nuestra declaración de independencia dice: "que todos los hombres son creados iguales, que ellos están dotados por el Creador con determinados derechos inalienables, entre los cuales están la vida, la libertad y la búsqueda de la felicidad". Estos eran hombres que creían en Dios. Estos fundadores tenían convicciones muy fuertes basadas en las enseñanzas éticas de la Biblia. Alguien una vez vio la Biblia en el escritorio de Andrew Jackson y le preguntó por qué la tenía allí. Señalando la Biblia le respondió: "Ese Libro, señor, es la roca sobre la que se fundamenta nuestra república".

Sí, no se equivoque al respecto, Dios ha bendecido esta nación porque nuestros antepasados honraron al Todopoderoso. Hasta en nuestras monedas dice: "En Dios confiamos". Le agradezco a Dios por nuestro legado espiritual y por la bendición de Dios sobre Estados Unidos.

También le agradezco a Dios por aquellos que protegieron nuestra libertad. Tenemos el mejor ejército del mundo. Nuestra democracia política es fuerte y nuestra defensa militar es superior a las demás naciones. Nuestros hombres y mujeres al servicio de las fuerzas armadas están comprometidos a brindar un servicio sacrificial por nuestro país. Hasta están dispuestos a dar la vida para proteger nuestra manera de vivir. Como somos una nación bajo la autoridad de Dios, tenemos a Dios para que nos guíe y a las fuerzas armadas para que nos protejan.

También le agradezco a Dios por nuestros oficiales de policía y bomberos. Estos valientes hombres sirven a nuestra grandiosa nación con extraordinario sacrificio. Exponen sus vidas a diario para mantenernos a salvo. Nuestro país tuvo un recordatorio del valiente sacrificio de estos hombres y mujeres cuando sucedió el ataque terrorista del 11 de septiembre. Estas personas altruistas dieron un ejemplo esplendoroso del indestructible espíritu estadounidense.

Sí, ese es un día que nunca olvidaremos. El ataque terrorista a Estados Unidos fue una tragedia que conmovió a toda la nación. Fue un evento devastador que le quitó la vida a mucha gente inocente. Siempre oraremos por las familias de las víctimas que intentarán reconstruir sus vidas. Oraremos para que Dios las sostenga con su amor.

Sin embargo, una cosa que se hace evidente en medio de esta tragedia. Los terroristas pudieron destruir vidas humanas, pero no pudieron destruir la fe en la humanidad. ¡El espíritu norteamericano es fuerte y nuestra fe está viva y bien! Una vez más, demostramos nuestra humilde fe en el Dios todopoderoso al unirnos como nación y buscar su ayuda divina por medio de la oración. Sí, Dios bendecirá a Estados Unidos porque "bendecida es la nación cuyo Dios es el Señor".

Al poco tiempo después de la guerra revolucionaria, el filósofo y político francés, Alexis de Tocqueville, vino a Estados Unidos. Vino en busca de la mágica cualidad que le permitió a unos pocos colonos vencer al vasto ejército británico. Él visitó los puertos, los campos fértiles y nuestros vastos recursos naturales. Visitó las escuelas y hasta leyó la constitución. Aún así no pudo hallar la cualidad mágica que inspiraba el valor de este pueblo.

Luego visitó nuestras iglesias. Encontró los púlpitos inflamados de pasión por Dios. En ese momento halló el secreto de nuestra fortaleza. Regresó a Francia y escribió estas palabras: "Estados Unidos es grandioso porque Estados Unidos es bueno. Y si dejara de ser bueno, ¡dejará también de ser grandioso!"

Creo que hay un movimiento de "bondad" en nuestra nación hoy. Personas de distintos tipos de vida se unen en un verdadero espíritu patriótico. Un pueblo de fe está unido en oración ante el Dios todopoderoso pidiéndole para que su fortaleza los sostenga en momentos de necesidad. Muchas personas, además de orar, ayudan como voluntarios extendiendo una mano de misericordia al servicio de la humanidad.

Sí, un despertar espiritual está llenando nuestra tierra. Miremos al Dios todopoderoso y sometámonos a las enseñanzas de su Palabra. Esté seguro de que mientras sigamos al Señor y construyamos sobre la base de su verdad, Dios continuará bendiciendo a Estados Unidos. Después de todo, "Bendecida es la nación cuyo Dios es el Señor".

Capítulo 28

La gente influye a la gente

Es increíble cómo la tecnología moderna ha cambiado nuestra cultura. La gente puede virtualmente vivir aislada si así lo prefiere. Después de todo, podemos hacer transacciones bancarias y comprar en línea, ir a tiendas donde los cajeros son máquinas, pagar en la bomba de gasolina, etc. Este tipo de cosas permite que se desarrolle un estilo de vida en el que las relaciones personales no existen porque no tenemos contacto con la gente. Sin embargo, nunca olvide: "La gente influye a la gente".

Seamos realistas, cada uno de nosotros ha sido modelado de un modo u otro por varias personas. La mayoría de nosotros puede recordar a algunas personas especiales que nos influyeron de un modo positivo. La Escritura afirma este principio en Proverbios 27:17:

Hierro con hierro se aguza; y así el hombre aguza el rostro de su amigo.

Sí, la Palabra de Dios es clara. La gente puede influir de manera positiva en la gente. En realidad, la gente que lo rodea es mucho más importante que los problemas a los que usted se enfrenta. Una persona positiva siempre agudizará su compostura y animará su espíritu. Por ejemplo, la Escritura dice en 1 Samuel 23:16 que Jonatán fue a ver a David "y fortaleció su mano en Dios". Sí, Jonatán era un amigo fiel que había inspirado a David, para convertirse en un gran líder.

Moisés influyó en Josué y desarrolló en él también un gran líder. Deuteronomio 31:7-8 describe cómo Moisés afirmó a Josué en presencia del pueblo al transferirle el liderazgo. Animó a Josué a "esforzarse y ser valiente" y lo alentó al recordarle la promesa de que "el Señor estaría con él".

En el Nuevo Testamento, descubrimos que Andrés influyó en Pedro para que siguiera a Cristo. La Biblia nos dice en Juan 1:41-42 que Andrés creyó en Jesús y le presentó a su hermano Pedro. El resto es historia. Pedro se transformó en un gran líder de la iglesia primitiva gracias a que su hermano lo llevó a Jesús. Podríamos continuar con los ejemplos. En resumen, "la gente influye a la gente".

Cuando pienso en mi vida, veo que muchas personas han influido durante los primeros años. En particular el entrenador de mi primera liga menor. Se llamaba Don Shepherd y tenía unos veinte años. Su hermano menor, Willie, tenía ocho años y Don era como un padre para él. Decidió aceptar al trabajo de entrenar a los niños de ocho y nueve años en la liga menor.

¡Era un entrenador fantástico! Me encanta jugar al béisbol gracias a Don Shepherd. Nunca nos gritó. Nos enseñaba con paciencia. Nos daba ánimo. Siempre quise dar lo mejor de mí para complacerlo. El entrenamiento que tuve con él me dejó una experiencia muy positiva.

Don le había enseñado a Willie a lanzar y necesitábamos un receptor. Por ser que tenía ocho años, la rápida lanzada de Willie era brillante. La mayoría de los niños ni siquiera querían intentar ser el receptor de Willie. Recuerdo cuando Don me preguntó si yo lo intentaría. Yo estaba más que listo para ubicarlo detrás de la plataforma. Don me entrenó con paciencia para que aprendiera a ser un receptor eficaz.

Primero, me enseñó a no cerrar los ojos cuando el bateador estaba por mover el bate. Don me enseñó a tener los ojos puestos en la pelota. Me enseño a bloquear una lanzada cuando caía en tierra. Era una posición divertida y me gustaba estar en la acción.

Willie con frecuencia le pegaba de costado y Don me hacía sentir importante. A todos les gustaba jugar para Don.

Cuando terminaba el juego, íbamos juntos a beber refrescos. ¡Siempre nos divertíamos! Sí, y ganamos ese año. Sin embargo, lo que más recuerdo es la influencia positiva de mi primer entrenador. Se preocupaba por los niños y hacía que la experiencia fuera positiva.

Creo que la mayor parte del éxito de mi trabajo como entrenador voluntario se debe a mi experiencia positiva con mi primer entrenador. Aprendí el valor de dar ánimo y ser positivo con los demás. Es conmovedor desarrollar la confianza en los atletas jóvenes y soltarlos a medida que aprenden a creer en sí mismos.

Recuerdo a un grupo de niños de diez años que entrené hace un año. Estaban perdiendo por ocho puntos entrando a la final a batear. Llamamos a los niños para reunirlos en el abrigo de jugadores y les dijimos que creyeran en ellos. Los alentamos a que simplemente dieran un paso a la vez. El resultado final fue un milagro porque los niños anotaron nueve tantos en la entrada final para ganar el torneo regional. Los más importante fue que nos dio la oportunidad de enseñarle al equipo que cualquier obstáculo se podía superar cuando se trabajaba unido. La lección de vida fue mucho más importante que la victoria.

Tuve el privilegio de ver a algunos atletas jóvenes que he entrenado quienes se han convertido en destacados líderes de la comunidad. Por ejemplo, un verano fuimos con un grupo de adolescentes al centro de la ciudad de Chicago para realizar trabajo voluntario. Tres de los líderes eran jóvenes a quienes yo había entrenado años atrás. Daban de su tiempo y energía de manera voluntaria para demostrar el amor de Dios a los niños que vivían en el centro de la ciudad y que necesitaban con desesperación que se los animara espiritualmente.

Sí, "la gente influye a la gente". Mi amigo o amiga, ayude

como voluntario durante algún tiempo e invierta, de un modo positivo, en la vida de los demás. Dios se valdrá de la influencia que usted ejerza para impactar la comunidad a medida que enseñe valores positivos y lecciones de vida. Nunca olvide que Proverbios 27:17 dice: "Hierro con hierro se aguza; y así el hombre aguza el rostro de su amigo".

Sí, agudice la vida de alguien y Dios se valdrá de usted de un modo positivo. Recuerde, en medio de una cultura altamente tecnológica, aún hay cosas que requieren de su toque personal. Después de todo, se vale de "la gente influye a la gente".

Capítulo 29

El mal tiempo hace que la madera se endurezca

Quizá usted o alguien a quien ama está atravesando por un momento difícil. Parece como que las tormentas de la vida lo azotaran de frente. La olas de la adversidad lo golpean con violencia y tenacidad. Se siente que está hasta el tope de problemas y ruega que surjan soluciones. Bien, recuerde esto: El mal tiempo hace que la madera se endurezca.

Dios lo está preparando para algo especial. De hecho Salmos 119:71 dice:

Estuvo bien que me hicieras sufrir porque así entendí tus enseñanzas.

La Escritura continúa diciendo en Salmos 119:92:

Si tu palabra no me hiciera tan feliz, ¡ya me hubiera muerto de tristeza!

Quizá haya oído alguna vez lo que le sucedió a un grupo de turistas que visitaba una fábrica de muebles. Era una fábrica muy reconocida por sus muebles de alta calidad. Algunos de los mejores se hacían a mano, y el grupo de turistas tuvo el privilegio de observar esta artesanía. La visita incluía al depósito donde se encontraba la madera. Era una maravillosa oportunidad para observar el proceso de selección de la madera que se usaría en estos finos muebles. El obrero inspeccionaría con cuidado cada pieza seleccionada de una gran pila de madera y la separaba en dos.

La primera pila era un gran montón de madera, al que se lo

marcaba como "descarte". Para quien no es un experto, esta madera lucía bien. La otra pila era más pequeña. Se la marcaba como "buena". Lo que significaba que podía usarse en la fabricación de estos muebles de alta calidad. Solo esta madera podía usarse para el trabajo artesanal.

A uno de los visitantes le quedó la duda de por qué se hacía tal selección. Le pidió al obrero que le explicara por qué la madera se separaba de tal modo. Después de todo, la madera parecía ser la misma. Parecía un desperdicio deshacerse de tanta madera. También le parecía que llevaría mucho tiempo reunir la madera necesaria para hacer una pieza.

El obrero le explicó que la selección se hacía en base al uso de la madera, si era para uso común o para una producción de alta calidad. La madera que se separó para uso común provenía de árboles del valle. Dichos árboles habían crecido protegidos de las tormentas. Como resultado, la fibra de la madera era más bien ordinaria. Y solo servía como madera común.

Sin embargo, la madera que se marcaba como "buena" venía de los árboles que crecían en las montañas. Estos árboles no habían estado protegidos de las tormentas. Por lo tanto, desde pequeños habían sufrido el efectos de los fuertes vientos. Dichos árboles se habían desarrollado en extrema adversidad al tener que soportar la luz del sol y las tormentas de lluvia.

En consecuencia, estos árboles se habían fortalecido con los años. Además de ser más duros, las tormentas había logrado que la fibra de esta madera fuera excelente. Por lo tanto, dicha madera se podía usar en muebles de alta calidad. Esa madera era demasiado buena para que se la usara como común. Se la reservaba para los trabajos artesanales de alta calidad.

Como verá mi amigo o amiga, el mal tiempo hace que la madera se endurezca. Lo mismo sucede en la vida. Las personas que han pasado por tormentas en la vida han obtenido una rica sabiduría. Siempre son las mejores personas y a quienes Dios usa para llevar a cabo su delicada obra.

Volvamos a Salmos 119:71:

Estuvo bien que me hicieras sufrir porque así entendí tus enseñanzas.

El salmista aprendió el valor de la Palabra de Dios durante los momentos en que tuvo problemas. Las luchas de la vida desarrollaron los valores de vida. Salmos 119:72 dice:

Mejor me es la ley de tu boca que millares de oro y plata.

El salmista declara que la Palabra de Dios es más preciosa que el dinero mismo. El dinero puede adquirir una felicidad temporal, pero no puede comprar el gozo permanente. El dinero puede comprar una casa, pero no la paz dcl hogar. El dinero puede ayudarlo a vivir, pero no puede enseñarle cómo vivir y darle paz. La única manera de tener esa paz que sobrepasa a todo entendimiento es afianzar su fe en Jesús, y confiar por completo en la Palabra de Dios. Sí, su fe lo ayudará a descubrir los aspectos positivos de los cambios de la vida. Santiago 1:2-3 dice:

Hermanos míos, tened por sumo gozo cuando os halléis en diversas pruebas, sabiendo que la prueba de vuestra fe produce paciencia.

Dios nos permite que pasemos por luchas para fortalecer nuestra fe y para enseñarnos que Dios es fiel. Entonces cuando otras personas nos observen, nuestra fe en tiempos de dificultad, los atraerá a Cristo. La gente se da cuenta de la importancia de los valores eternales cuando pasa por problemas terrenales. Como resultado, Dios se transforma en algo real para usted y usted descubre en la Palabra la fuente de poder para vivir.

Mi amigo o amiga, Jesús también pasó por la misma dificultad cuando estuvo en la cruz del madero. Él murió y resucitó para demostrar el amor de Dios por usted. Por eso, Dios quiere moldear su vida en una bella obra de artesanía para gloria de Él. En consecuencia, Dios se valdrá de las tormentas para convertirlo en una obra artesanal de alta calidad hecha por su gracia. El mal tiempo hace que la madera se endurezca.

Capítulo 30

El talento puede llevarlo hasta la cima, pero se requiere de entereza para mantenerse allí

Desarrollar una vida de integridad lo protegerá para que "la cima en el estrellato" de hoy, no se transforme en "la caída del estrellato" de mañana. Sí, lleva tiempo desarrollar este tipo de personalidad ganadora que se requiere para edificar una vida exitosa. Por último, nuestro éxito o fracaso se medirá a largo plazo en la vida. Después de todo, "el talento puede llevarlo hasta la cima pero se requiere de cualidades especiales para mantenerse allí".

Hasta nuestro camino en la fe se describe generalmente como "caminar con Dios". Por ejemplo, la Escritura nos dice en Miqueas 6:8: "andar humildemente con tu Dios". Colosenses 1:10 declara que "para que andéis como es digno del Señor, agradándole en todo". En 2 Corintios 5:7, se nos anima a "andar por fe". Sí, nuestro camino espiritual es una maratón, no una carrera de tan solo cien yardas (91,44 metros).

Recuerdo a dos lanzadores jóvenes que habían recién comenzado en el béisbol profesional hace unos años. Era el año 1968 y uno de ellos apenas comenzaba su carrera y el otro era un novato. Ambos tenían el mismo talento, pero había una diferencia del día a la noche en la carrera de ambos.

El primer joven era Denny McClain, quien en 1968 había Ganado 31 juegos con los Detroit Tigers. Era un lanzador sensacional. Había logrado lo que unos pocos habían hecho en el béisbol profesional. Ganar 31 juegos en una temporada era fenomenal. También ganó el premio Cy Young y tenía un futuro prometedor.

Recibió toda la atención de los reporteros de deporte nacional que escribían artículos sobre él. Los jugadores de las ligas menores querían usar su número. Hasta los ancianos hablaban de este talentoso joven. Estaba en camino de convertirse en una superestrella.

Desafortunadamente, un par de años más tarde, "cayó en desgracia". Fue arrestado por apostar dinero y suspendido en béisbol. Pasó a ser un mero "fogonazo". Hoy es un recuerdo lejano porque su falta de integridad no pudo perdurar con el tiempo.

En 1968, Nolan Ryan era un novato que jugaba con los New York Mets. Apenas había ganado seis juegos y perdido nueve. Ese mismo año el "sensacional joven lanzador de Detroit" había ganado 31 juegos, mientras que el "novato de New York" solo ganó seis. La prensa no te prestó atención a Nolan Ryan, pero esto no lo detuvo en su carrera hacia el éxito. Decidió superar a todos los demás. De hecho, la ética de su trabajo fue la marca que caracterizó su éxito de por vida.

Continuó como lanzador por muchísimos años en el béisbol profesional. Nolan Ryan ganó más de 320 juegos y más de 5000 ponches. También en siete oportunidades durante su carrera profesional, lanzó la pelota al bateador y no permitió que el equipo contrario anotara tantos ni golpes. Muchos creyeron que su carrera sería intachable. La revista deportiva Sports Illustrated llamó a Nolan Ryan una "leyenda viviente" y un "milagro de la modernidad".

La diferencia entre ambos atletas no fue el talento que tenían. La diferencia fue la integridad y la entereza. Nolan Ryan tuvo una carrera ganadora porque su vida estuvo marcada con una actitud ganadora. Sí, "el talento puede llevarlo hasta la cima pero se requiere de cualidades especiales para mantenerse allí".

Mi amigo o amiga, la Biblia nos da las pautas para desarrollar una personalidad ganadora. Colosenses 3:23-24 dice:

> *Y todo lo que hagáis, hacedlo de corazón, como para el Señor y no para los hombres; sabiendo que del Señor recibiréis la recompensa de la herencia, porque a Cristo el Señor servís.*

El apóstol Pablo da las pautas para desarrollar una personalidad ganadora. Él dice que hay que comenzar por el compromiso. La Escritura expresa: "hacedlo de corazón". En otras palabras, ponga todo su corazón y su alma en los esfuerzos que realice. Nada grandioso se puede lograr en un nivel "está bien lo que sea".

Pablo dice que los campeones tienen que superar ese nivel. La palabra "corazón" indica entusiasmo. El último Harry Truman exclamó: "Un gran logro es el resultado de un corazón en llamas". Mi amigo, cuando Dios está obrando en usted, entonces su corazón se encenderá en llamas por Él. Esto generará el compromiso con la causa. Una personalidad ganadora comienza con el compromiso de dar el 110% a todo lo que hace.

Y continúa con la convicción. Dios nos dice que lo hagamos de corazón porque es para "el Señor". Esto nos da el concepto de convicción, que constituye nuestro sistema de fe. Mi amigo, ¿cuáles son las creencias que afectan la esencia de su ser? ¿Cuáles son los valores fundamentales sobre los que usted está desarrollando su vida?

Esto nos denota la importancia de desarrollar nuestras convicciones en base a una fuente de autoridad confiable. Le sugiero que busque los valores en la Palabra de Dios. Usted no se equivocará si edifica su vida en la verdad de la Escritura. Después de todo, la Biblia no es un reglamento que pretende convertirlo en un miserable, es un mapa que le marca el camino hacia el éxito.

Por último, también descubrimos que una personalidad ganadora demuestra confianza. Dios promete recompensarnos si servimos al Señor. Mi amigo o amiga, estas son las buenas noticias: Dios cumple sus promesas. Usted puede estar seguro de que Jesús recompensará su vida al vivir para Él.

Tuve el privilegio de trabajar como capellán voluntario para el equipo de fútbol de la escuela secundaria de Mishawaka. Cada semana, durante la temporada, teníamos un devocional de inspiración de unos quince minutos. Los jugadores venían por voluntad propia a los vestuarios antes del horario de la escuela y allí nos reuníamos el día de juego. Mi meta era ayudar a desarrollar una actitud de integridad en estos jóvenes que los ayudaran a liderar la comunidad del mañana. A veces enfatizamos en que el talento puede llevarlo hasta la cima pero se requiere de cualidades especiales para mantenerse allí. En consecuencia, instruimos a los jugadores dándoles principios de fe que desarrollen en ellos una actitud ganadora. Nuestra estrategia es ayudarlos a que mejoren las habilidades prácticas que sirvan de por vida, además de en el fútbol.

Mi amigo, siga a Jesús y usted desarrollará la actitud de un ganador. Tendrá la credibilidad por el resto de su vida. El talento podría desaparecer con rapidez como la breve carrera de aquel joven lanzador sensacional. Pero, la actitud ganadora produce el éxito permanente en la vida tal como lo vimos en el ejemplo legendario de Nolan Ryan. Sí, "el talento puede llevarlo hasta la cima pero se requiere de cualidades especiales para mantenerse allí".

Capítulo 31

La integridad es lo que influye en una vida auténtica

Proverbios 22:1 dice:

De más estima es el buen nombre que las muchas riquezas,
y la buena fama más que la plata y el oro.

Sí, la integridad da un "buen nombre". Usted tendrá una vida respetable acorde a su buen nombre. Usted le legará a sus hijos algo para que vivan "manteniendo la honorabilidad de su nombre" en la comunidad.

La integridad significa que "lo que ve es lo que obtiene". El diccionario define la integridad como: rectitud, entereza, honradez. Podría decir que la integridad es "la prima" de la honestidad. Son similares en varios aspectos. La honestidad se refiere a la veracidad de lo que decimos, mientras que la integridad se refiere a la veracidad de la vida que llevamos. Por lo tanto, podemos decir que la integridad es lo que influye en una vida auténtica.

Nunca olvidaré una gran lección que aprendí sobre la integridad. Sucedió en un día de verano cuando estaba en la escuela secundaria y trabajaba para mi padre. Mi papá trabajaba por su cuenta como albañil y también tenía peones. Mis tres hermanos y yo aprendimos ética laboral mientras trabajábamos en el mortero y acarreábamos los ladrillos cada verano.

Sin embargo, un día aprendí más que un poco de ética laboral. Aprendí una poderosa lección de integridad. Mi papá había empleado a un albañil nuevo y el hombre estaba trabajando en la pared de atrás de la casa. Trabajábamos arduamente toda la mañana y luego teníamos un descanso para almorzar. Allí comenzó la lección de integridad.

Papá fue a examinar el trabajo del hombre. Era obvio que para quien tenía su ojo entrenado, el trabajo del hombre no cumplía con las expectativas de mi padre. Si dudar, mi padre comenzó a quitar los ladrillos de la pared. Le quitó la mezcla a uno por uno de los ladrillos para que la pared se volviese a hacer. El albañil nuevo se quedó al lado de mi padre mientras observaba la calidad de trabajo que se esperaba.

El trabajo de mi padre era de alta calidad y no quería arriesgarla. Mi papá trabajaba como si su nombre quedara grabado en cada trabajo. Por lo tanto, era más importante que mi papá sacrificara algo de la ganancia para mantener la integridad de por vida. Muchas personas habrían dejado pasar por alto la calidad deficiente del trabajo. Después de todo, era la pared de atrás de la casa. ¿Quién se daría cuenta? Mi padre se daba cuenta y su integridad hacía que se asegurase de que el trabajo se hiciera correctamente.

Como usted ve, hay cosas que el dinero no puede comprar. La integridad es una de ellas. Aprendí esa lección observando a mi padre durante una ardiente tarde de verano. Fue el día en que los "ladrillos y morteros" me enseñaron sobre la integridad. Sí, la integridad es lo que influye en una vida auténtica.

Una persona con integridad no tiene nada para ocultar. No teme que se la examine. La integridad brillará en medio de cualquier proceso de investigación, dijo D.L. Moody. "la integridad es lo que la persona es en privado". Su verdadera forma de ser es lo que usted es cuando nadie lo observa.

Creo que la integridad es la piedra angular en la que se fundamenta su vida. La integridad vela por los principios éticos más que por las ganancias económicas. Y por los resultados a largo plazo más que a corto plazo. La integridad nunca se sacrificará en el altar de lo abrupto. Una persona con integridad no arriesgará su entereza para lograr una meta. Después de todo, el verdadero éxito no tiene atajos.

Al final del Sermón del monte, Jesús describió a dos personas que realizaron una construcción. Uno era un hombre prudente y el otro un insensato. Un hombre edificó un cimiento adecuado, mientras que el otro edificó sobre la arena. Una casa tenía material sólido, mientras que la otra era solo una mera apariencia. Una resistió la adversidad del tiempo, mientras que la otra se derrumbó. Una demostró su solidez ante la presión, mientras que la otra se cayó.

Jesús dijo en Mateo 7:24-25:

> *Cualquiera, pues, que me oye estas palabras, y las hace, le compararé a un hombre prudente, que edificó su casa sobre la roca. Descendió lluvia, y vinieron ríos, y soplaron vientos, y golpearon contra aquella casa; y no cayó, porque estaba fundada sobre la roca.*

Sí, el Maestro tenía grandes cosas para enseñar acerca del edificar con integridad. Jesús no se estaba reuniendo con "los albañiles de un condominio" para prepararse y mostrar la mera "fachada de las casas". Les estaba enseñando a las personas a desarrollar una vida con principios de integridad. Esta vida soportaría la adversidad. La forma de ser de una persona y sus cualidades no se desarrollan en una crisis, solo se revelan.

La Escritura dice: "La fe sin obras está muerta". Sí, el verdadero creyente no solo aprende la Palabra de Dios, sino que también la practica. Jesús dice que una persona que lo escucha y que sigue las enseñanzas que Él imparte será sabia. La obediencia a Cristo es edificar su vida sobre la "roca firme". Lo lleva a bendición y no a esclavitud.

La obediencia a Cristo lo reafirmará en su Palabra. Descubrirá pronto que su Palabra es verdad. Aprenderá que su Palabra es el camino de sabiduría. Experimentará el gozo de vivir bajo el señorío de Cristo. Su corazón se regocijará a medida que experimenta las bendiciones de Dios.

Esto le permitirá a usted edificar un cimiento adecuado. Estará listo para dar el próximo paso de fe. Cada paso aumentará su arraigo en la fe. El proceso gradual aumentará su fe en el poder de Dios. El resultado final será una vida de integridad. Esto le dará una influencia positiva y provocará un impacto poderoso en la vida de los demás.

Como usted ve mi amigo, una vida de integridad significa que usted es una persona en quien se puede confiar. Una de las lecciones importantes de la vida es poder confiar en una persona en todo. Lo triste de la realidad de la vida es que usted puede confiar en todo o en nada. Por eso la integridad en el liderazgo es de extrema importancia. Usted no puede separar la vida privada de una persona de la vida pública. Si la percepción pública no es la verdadera entonces usted apenas si tiene una "decepción pública". Un líder debe tener integridad para ejercer una influencia genuina. Tal como se ha dicho:

Muchos tienen éxito momentáneamente por lo que saben;
Algunos tienen éxito temporalmente por lo que hacen; pero
Unos pocos tienen éxito permanentemente por lo que son.

Quizá conozca el caso de la crisis de Tylenol que ocurrió años atrás. Muchas personas murieron envenenadas. Los investigadores descubrieron que se debieron a cápsulas de Tylenol contaminadas. La compañía tuvo que enfrentarse con la verdad. ¿Cómo manejarían el asunto?

El presidente ordenó que todas las cápsulas de Tylenol se retiraran de todas las tiendas. Esto se realizó en una hora y le costó a la compañía 100 millones de dólares. Un reportero le preguntó cómo podía tomar una decisión tan costosa de manera tan rápida. El presidente le explicó que era simple poner en práctica los principios que la compañía tenía "operar con honestidad e integridad".

Mi amigo, cuando uno sabe en qué se fundamenta es fácil tomar la decisión adecuada. Ya sea que se trate del presidente de una gran compañía que se enfrenta a una crisis nacional o el albañil que trabaja por su cuenta, el principio de Proverbios 22:1 es el mismo: "De más estima es el buen nombre que las muchas riquezas, y la buena fama más que la plata y el oro".

Sí, la integridad es lo que influye en una vida auténtica.

Capítulo 32

El respeto es como un bumerán: lo que usted lanza es lo que recibirá a menudo

Creo que hay algunas cualidades básicas que nos ayudan a ser los campeones en el juego de la vida. La reputación es lo que los demás piensan de usted, pero su personalidad constituye lo que usted realmente es. Su reputación podría ser una simple imagen, pero su personalidad es la verdadera esencia. Una de las cualidades de la personalidad que debe ser importante es el respeto. Una persona debe ser respetuosa porque el respeto es como un bumerán: lo que se lanza es lo que se recibe.

Jesús dijo en Mateo 7:12:

> *Así que, todas las cosas que queráis que los hombres hagan con vosotros, así también haced vosotros con ellos.*

La llamamos la regla de oro. "De la misma manera que usted quiere que las personas lo traten a usted, usted debe tratarlas a ella". Sí, debemos tratar a las personas con la misma dignidad y el mismo respeto con que nos gustaría que nos trataran a nosotros.

Este principio es la clave en todas las relaciones humanas. Es importante vivir una vida fundamentada en el respeto mutuo. De hecho, Jesús dijo que la demostración de nuestra fe pivota sobre este principio. Se podría decir que la obra de nuestra fe se revela en el respeto que tenemos por los demás.

Calvin Murphy, de la NBA, dijo: "Cuando me formo una opinión de una persona lo hago teniendo en cuenta qué tipo de persona es, la manera en que dicha persona trata y respeta a los demás y, a su vez por la forma en que quieren que la traten". Sin lugar a dudas las personas se formaran una opinión de nuestra fe basándose en el respeto que le demostramos a los demás. Una persona debe ser respetuosa porque el respeto es como un bumerán: lo que se lanza es lo que se recibe.

También creo que el respeto debe ganarse y no demandarse. Cuando usted demanda que los demás lo respeten, con frecuencia habrá resentimiento. Pero, cuando usted gana el respeto de los demás, contará con la lealtad de ellos.

Por ejemplo, un esposo que sea cruel y demandante en el hogar fomentará el resentimiento de su esposa e hijos. Habrá tensión en el hogar. Eventualmente, el resentimiento se podría convertir en rebelión. El esposo insensato podría enojarse y demandar aún más. La realidad es que este hogar va camino a estrellarse directamente en un tribunal donde se realice el divorcio.

Sin embargo, el esposo que sigue las enseñanzas de la Biblia sobre el liderazgo de un siervo experimentará paz y armonía. Efesios 5:25 dice: "Maridos, amad a vuestras mujeres, así como Cristo amó a la iglesia, y se entregó a sí mismo por ella". Sí, al dar el ejemplo en el liderazgo que se ejerce, se ganará el respeto de su familia. Un espíritu de amor y armonía permanecerá en el hogar. El resentimiento será reemplazado por el respeto. El principio del bumerán en relación al respeto mutuo puede aplicarse a cualquier relación.

También considere por qué tenemos que respetar a todas las personas. La Biblia dice en Génesis 1:27:

> *Y creó Dios al hombre a su imagen, a imagen de Dios lo creó; varón y hembra los creó.*

Al ser creado a la imagen de Dios, usted puede tener comunión con Él. Cada ser humano tiene la capacidad de pensar, sentir y actuar según prefiera. Dios le permite elegir libremente una relación con Dios por medio de la fe en Cristo. Dios ha puesto una chispa divina en cada individuo con la capacidad de encender la antorcha de la fe. Por eso, cada ser humano tiene un valor increíble y un potencial inmenso.

Como todas las personas han sido creadas a imagen de Dios, debemos respetarlas a todas. Usted puede no aprobar la conducta de la gente pero aún así debe respetarla. Nuestro amor por Dios se revelará en nuestro respeto por los demás.

Cristo lo expresó en Lucas 10:27:

Amarás al Señor tu Dios con todo tu corazón, y con toda tu alma, y con todas tus fuerzas, y con toda tu mente; y a tu prójimo como a ti mismo.

Este es el primer gran mandamiento. Amar a Dios y respetar a la humanidad.

El conferencista Zig Ziglar nos cuenta acerca de una mujer que asistió a uno de sus seminarios. Esta mujer estaba a punto de perder su trabajo y decidió ver si podía motivarse para comenzar una nueva carrera. Estaba completamente desalentada y dispuesta a abandonarlo todo. Sentía que nadie la respetaba y que estaba lista a que "le tiraran la toalla". Sin embargo, después de asistir al seminario se decidió a hacer un cambio personal. Parece que Zig Ziglar la desafió a que cambiara su modo de actuar y que observara como también su actitud cambiaría. Decidió ser la primera en llegar a trabajar cada mañana. Llegaría temprano y haría el café. Luego, a medida que los demás empleados llegaran les ofrecería una taza de café. Los trabajadores se sorprendieron y estaban sinceramente agradecidos.

La mujer también se quedaba después de hora para lavar las tazas de café. También le dejaba una nota a la mujer que hacía la limpieza. En poco tiempo toda la atmósfera del trabajo cambió a medida que las personas se trataron más amigablemente. De hecho, otros comenzaron a llegar temprano para hacer el trabajo. De pronto, parecía que era una competencia para ver quién llegaría más temprano para preparar el café para la oficina. Como consecuencia de esto, la mujer que estaba a punto de renunciar, volvió a apreciar su trabajo. Y no le fastidió más porque había cambiado su actitud y la de todo el ambiente laboral también. Le demostró su respeto a los demás con una simple taza de café. Recibió también el respeto de todo el personal. Las palabras de Cristo son en verdad sabias: "Así que, todas las cosas que queráis que los hombres hagan con vosotros, así también haced vosotros con ellos".

Sí, mi amigo o amiga, el respeto es como un bumerán: lo que se lanza es lo que se recibe.

CAPÍTULO 33

LA LEALTAD SIGNIFICA: SER DIGNO DE CONFIANZA

La lealtad es una cualidad sobresaliente. Sin embargo, parece que se está convirtiendo en obsoleta. Está desapareciendo de nuestra sociedad. El egocentrismo está haciendo desaparecer gradualmente el valor de la lealtad. Por lo tanto, necesitamos que las personas comprendan que: La lealtad significa que ser totalmente digno de confianza.

Creo que la raíz de la lealtad debe ser el amor incondicional. Jesús dijo en Juan 15:13:

Nadie tiene mayor amor que este, que uno ponga su vida por sus amigos.

Sí, la lealtad y el sacrificio van de la mano. Proverbios 17:17 dice:

En todo tiempo ama el amigo, y es como un hermano en tiempo de angustia.

Sí, un verdadero amigo es alguien que es leal en medio de las dificultades. En realidad, se valora más la lealtad en momentos de adversidad. Algunas veces cuando una persona pasa por momentos difíciles se da cuenta de quienes son sus verdaderos amigos. Cuando la realidad no se ha revelado por completo, las personas se sienten tentadas a formarse una opinión según una verdad parcial. Después de todo, los rumores siempre destruyen la integridad de una persona. Sin embargo, un verdadero amigo lo apoyará en momentos de dificultad.

La lealtad es como una roca firme en medio de las arenas

movedizas de la crítica. La lealtad es lo que permanece. La lealtad es quien defiende su integridad cuando los demás quieren degradarlo. La lealtad le habla claro a los críticos que quieren linchar su integridad. La lealtad siempre supone la inocencia antes de la culpabilidad.

La lealtad también es compasiva cuando un amigo ha hecho algo malo. La Escritura dice 1 Pedro 4:8:

Y ante todo, tened entre vosotros ferviente amor; porque el amor cubrirá multitud de pecados.

Sí, la persona que es leal no quiere ver a un amigo en los malos caminos que lo llevarán a la destrucción. Son cautelosos con las noticias desalentadotas que reciben al enterarse de que un amigo ha caído en pecado. No divulgan información que perjudique a su amigo. Un verdadero amigo se acerca al que ha caído y lo ayuda a salir adelante.

Como usted puede ver, un verdadero amigo piensa lo mejor aún cuando las cosas anden mal. Un verdadero amigo respeta a la otra persona lo suficiente como para creer que se recuperará. Sabe que si se divulgan los detalles de las fallas de la persona le será más difícil recuperarse.

Proverbios 10:12 dice:

El odio despierta rencillas; pero el amor cubrirá todas las faltas.

Sí, una persona que siente odio por otra se gozará al "revolver el avispero" con información perjudicial. Disfrutará al desparramar las noticias negativas e injuriosas de las faltas de otro. Le echan gasolina a la llama y se complacen en ver el fuego arder.

Sin embargo, una persona cuyo corazón está lleno de amor no desparramará las noticias de pecado. El amor no se regocija en la iniquidad, según lo expresa 1 Corintios 13:6. El amor no necesita jugar el papel de "te atrapé en falta". No, el amor no aprueba el pecado, pero entiende la importancia de ser discreto con respecto a este tema.

La Escritura también nos instruye con respecto a la importancia de enfrentar a la persona con amor. Proverbios 27:6 dice:

Fieles son las heridas del que ama; pero importunos los besos del que aborrece.

Esto nos lleva a otro aspecto importante de la lealtad. Un verdadero amigo se enfrentará con usted para tratar de ayudarlo. Un amigo fiel lo corregirá a usted con amor y lo ayudará a evitar que cometa el mismo error. Después de todo, todos cometemos equivocaciones en la vida. Por eso un amigo leal le hablará en forma privada para evitar la vergüenza pública.

Mi amigo, la lealtad es una cualidad maravillosa. El ex entrenador Bum Phillips de la NFL dice: "La lealtad es una cualidad que toda organización debe tener para ser exitosa". Creo que tiene razón. En más, la lealtad se podría definir como: "la disposición de poner al líder y a la organización por encima de los deseos personales". La lealtad está motivada por el deseo de beneficiar al equipo y no al individuo.

Parecería que en la cultura de antes la lealtad era una cualidad excelente. Era un halago ser "un hombre digno de confianza". Hoy día la lealtad y el sacrificio son palabras que casi se han olvidado. Las metas individuales han reemplazado la importancia del equipo.

En el libro de John Wooden, *They Call Me Coach* (Me llaman entrenador), está la "pirámide del éxito". Tiene un nivel para la laboriosidad en un ángulo, el entusiasmo en el otro y la lealtad en el medio. Dice que no hay un edificio que sea mejor que su cimiento. Wooder fue un creyente fiel y firme y por eso pudo llegar a tener un verdadero éxito.

Es interesante notar que a comienzos de su carrera, Wooden

deseaba ser entrenador en la universidad Purdue. Es más, después de que lo entrevistaron para un trabajo en la universidad de California, Los Ángeles, le ofrecieron un trabajo en Purdue. Le habían prometido que iría a la universidad de California, Los Ángeles (UCLA) para desarrollar un programa de entrenamiento para básquetbol.

En aquella época la UCLA era una pequeña universidad en la costa oeste. No tenían un programa establecido de básquetbol. Pero, Purdue, era líder de básquetbol a nivel nacional. John Wooden también se había graduado en Purdue y había jugado básquetbol para esa universidad.

Ahora se enfrentaba a la decisión. Le había dado su palabra a las autoridades de la UCLA de que aceptaría el trabajo como entrenador principal de básquetbol. Ellos aún no habían preparado el contrato. Simplemente se habían dado la mano. Wooden regresó por tren a South Bend, Indiana para empacar y mudarse con su familia.

Cuando llegó a South Bend, se encontró con el ofrecimiento escrito de la Universidad de Purdue. El sueño laboral de su vida estaba literalmente en sus manos. La oportunidad que lo llevaría a hacer realidad su sueño lo esperaba. Sin embargo, Wooden había dado su palabra y mantendría su lealtad. Se había comprometido de palabra con la universidad UCLA a aceptar el puesto de trabajo. Su entereza y lealtad eran más importantes que cualquier otra oportunidad para alcanzar el éxito. Le escribió a Purdue y rechazó el ofrecimiento.

John Wooden se mudó a California y el resto es historia. Desarrolló una dinastía propia en el básquetbol en UCLA. No ocurrió de un día para otro. Trabajó como entrenador durante 20 años antes de que ganaran el primer título de la NCAA (Asociación Nacional de Atletismo Colegial). El arduo trabajo dio su fruto. Wooden ganó diez títulos de la NCAA en 12 años en las temporadas de 1964 a 1975.

Creo que fue un entrenador sin par porque era un hombre con integridad. La lealtad es una cualidad admirable. Es la base para el éxito.

También podemos estar agradecidos a Jesucristo por su lealtad para con nosotros. Romanos 5:8 dice:

Mas Dios muestra su amor para con nosotros, en que siendo aún pecadores, Cristo murió por nosotros.

Sí, Jesús demostró su sacrificio de amor supremo cuando murió en la cruz por nuestros pecados. Jesús fue leal al plan de salvación del Padre. Podemos seguirlo porque Él es completamente confiable. Sí, la lealtad es una cualidad estupenda. Sea leal a Dios, a los demás y a los valores y usted será una persona con una destacada personalidad e integridad. Recuerde mi amigo o amiga, la lealtad significa ser digno de confianza.

Capítulo 34

Enseñamos lo que sabemos; demostramos lo que somos

Cuando se trata de influir en las personas, debemos ser genuinos. No podemos motivar a que los demás vivan a un nivel más allá de lo que nosotros hemos experimentado. Básicamente, nuestra verdadera influencia proviene de la vida que llevamos. En otras palabras, nuestro ejemplo es lo que influye en los demás. Después de todo: "Enseñamos lo que sabemos; demostramos lo que somos".

Albert Schweitzer dijo: "El ejemplo no es la cosa más importante que influye en los demás. Es la única cosa". John Wooden dijo: "Preocúpese mejor por su integridad que por su reputación Después de todo la integridad demuestra quien es usted mientras que la reputación solo expresa lo que los demás piensan de usted".

Jesús se refirió a este tema de influir en los demás en Lucas 6:40:

> *El discípulo no es superior a su maestro; mas todo el que fuere perfeccionado, será como su maestro.*

Por eso una relación positiva es importante en extremo si deseamos influir en las personas. Por ejemplo, los niños aprenden hábitos positivos de sus padres cuando estos le dan un ejemplo positivo. Sí, los padres sabios tienen en mente el principio de influir en los demás: Podemos enseñar lo que sabemos pero solo demostrar lo que somos.

Mi amigo, he descubierto el valor de desarrollar relaciones

positivas con mis cuatro hijos. Debo confesar que fue fácil para mí relacionarme con mis tres hijos varones. Era natural para mí salir y jugar al fútbol con ellos o estar en la casa y hacer de cuenta que "luchábamos" sobre el piso de la sala. También disfrutábamos de actividades "masculinas" como ver juntos películas de John Wayne.

Sin embargo, necesité algo de ayuda para relacionarme con mi hija en lo que respecta a las cosas que les gusta hacer a las niñas. Un día le pregunté a Cindi: "¿Qué podría hacer para dedicarle tiempo a Hannah y fortalecer nuestra relación?" Cindi se sonrió y me respondió: "¿Has pensado en ir de compras con ella?" Me sonreí algo avergonzado porque en realidad nunca se me ocurrió esa idea. Y decidí intentarlo.

Como podrán imaginarse, la pasamos muy bien juntos. Hannah y yo fuimos de compras a una galería. Ella se sonrió durante toda la tarde mientras íbamos de tienda en tienda. Lo más importante fue que aprendí cómo relacionarme con mi hija al interesarme en algo que a ella le gustaba hacer.

Así que cada vez que quiero reforzar el vínculo "padre-hija", la llevo a la galería de compras. Sí, hacemos compras pero también pasamos tiempo hablando juntos. Me ha ayudado a entender mejor la vida de ella. Esto me ha provisto de una perspectiva muy valiosa para demostrar "el liderazgo de un siervo" y tener una influencia positiva en la vida de mi hija.

Sí, un ejemplo positivo puede ser una poderosa influencia para beneficiar a alguien. Usted sabe que Jesús tenía toda la autoridad para referirse al tema de influir por medio del ejemplo. Después de todo, nuestro Señor es el ejemplo más poderoso que tenemos.

Jesús dijo en Mateo 20:26-28:

Mas entre vosotros no será así, sino que el que quiera hacerse grande entre vosotros será vuestro servidor, y el que quiera ser el primero entre vosotros será vuestro siervo; como el Hijo del Hombre no vino para ser servido, sino para servir, y para dar su vida en rescate por muchos.

Sí, Jesús nos dio un ejemplo de humildad y servicio.

Ahora nos llama para que sigamos ese ejemplo. Quiere que nosotros demostremos la fe en Cristo en nuestra vida. Quiere que demostremos la fe con un corazón humilde y un espíritu positivo. Después de todo, somos el único Jesús a quienes las personas pueden ver.

Al reflexionar sobre quién me demostró una vida cristiana, viene a mi mente mi maestra preferida de la escuela dominical. Se llamaba Virginia Suter, y era una maestra destacada. Virginia ya está con el Señor, pero la manera en que ella impactó mi vida aún perdura.

Tenía una personalidad maravillosa y era una excelente maestra de la Biblia. Me enseñó la Palabra de Dios con gran entusiasmo y creatividad. Las historias bíblicas cobraban vida cuando Virginia enseñaba las Escrituras. Era emocionante estar en su clase.

Era cariñosa y firme a la vez. Con frecuencia enseñaba con una mano sobre la Biblia y con la otra sobre mi hombro. Yo era terco y me encantaba hacer bromas pero Virginia me mantenía a raya.

Virginia nos enseñó la palabra de Dios pero también nos presentó al Dios de la Palabra. Su amor por el Señor se le reflejaba en el rostro. Siempre enseñaba la Biblia con una sonrisa. Nunca olvidaré su sonrisa ni su amor por Cristo.

Nunca enseñó la palabra de Dios con el ceño fruncido. Aún cuando era firme, siempre sonreía. Fue la maestra de escuela dominical más cariñosa que he conocido. Creo que ella desempeñó un rol sumamente importante al sembrar la palabra de Dios en mi corazón.

Recuerdo a mi mamá y a Virginia cuando creaban fabulosas dramatizaciones bíblicas. Mi mamá escribía el guión para un personaje ficticio llamado "Contento". Virginia hacía la voz del títere y ambas relataban la historia bíblica usando a "Contento". Virginia era la persona adecuada para hacer el papel de "Contento" porque siempre estaba alegre.

Lo más importante, aprendí que la única manera de estar de verdad "contento" era tener a Jesús en mi corazón. Aprendí que Jesús murió en la cruz por mis pecados y que resucitó. Aprendí que Jesús nos amaba y que llenaba nuestro corazón de verdadero gozo y felicidad. A los dieciocho años incité a Cristo a ser parte de mi vida. Sé que la "semilla de la fe" fue plantada en mi niñez por medio de la enseñanza fiel de Virginia Suter. Le doy gracias a Dios por demostrarme el gozo cristiano.

Mi amigo, "El discípulo no es superior a su maestro; mas todo el que fuere perfeccionado, será como su maestro". Sí, es verdad: "El ejemplo no es la cosa más importante que influye en los demás, es la única cosa". Por lo tanto, ya sea que usted le esté dedicando tiempo a su hijo o esté preparando una clase de escuela dominical para otros niños, siempre recuerde: "Enseñamos lo que sabemos; demostramos lo que somos".

Capítulo 35

La sinceridad sienta las bases de la verdad

La base de toda relación es la confianza. La base de la confianza es la verdad. Por lo tanto, una de las cualidades más importantes de la persona es la honestidad. La persona honesta demuestra ser digna de confianza y admiración.

Mi amigo o amiga, usted es maduro si es una persona de palabra. Jesús dijo: "Que tu sí sea sí y que tu no sea no". Lo que significa que la gente debería confiar en lo que usted dice. La honestidad es siempre la mejor estrategia. Después de todo, la honestidad desarrolla la confianza sobre la base de la verdad.

La Biblia dice en Efesios 4:25:

Por lo cual, desechando la mentira, hablad verdad cada uno con su prójimo; porque somos miembros los unos de los otros.

Sí, Dios quiere que seamos personas honestas. Es más, Dios dice en Proverbios 6:16-19 que la mentira es una de las cosas que odia. "Dios aborrece la lengua mentirosa" porque para Él es abominación. También el noveno mandamiento prohíbe mentir.

No hablarás contra tu prójimo falso testimonio.

Jesús dijo una verdad muy importante en Juan 4:88 cuando expresó que mentir es actuar como lo hace el diablo. Un seguidor de Cristo debe ser una persona que diga la verdad. La honestidad revela una característica que desarrolla la confianza basada en la verdad.

También lo opuesto es verdad. No hay nada de debilidad en la persona que no puede decir la verdad. Hay una gran falla enraizada en la persona que es deshonesta. Las mentiras y el engaño muestran a un individuo que no tiene una conciencia moral apropiada.

Pero, la persona honesta entiende que su palabra es la garantía. La persona honesta respeta a los demás y se gana la confianza de otros con la verdad. La persona honesta se respeta a sí misma y no se engaña a sí misma. Conrad Hilton de la corporación de los hoteles Hilton Hotel dijo: "Algo que realmente se me ha pegado es: tener integridad, jamás engañar a alguien, y cuando doy mi palabra, jamás desviarme de ella a pesar de las circunstancias".

Sí, la gente que tiene éxito comprende el valor que tiene la honestidad. Entienden que la verdad es la base de la confianza. La deshonestidad, por otra parte, destruirá la confianza. Una vez que se quebrantó la confianza, es extremadamente difícil, o casi imposible reestablecerla.

Esto lo puede observar en muchos aspectos de la vida. Por ejemplo, una joven pareja puede estar frente al pastor y pronunciar sus votos de amor y compromiso en la boda. Se prometen ser fieles hasta "que la muerte los separe". Dichos votos constituyen un compromiso sagrado ante los ojos de Dios y en presencia de testigos.

Pero algo extraño sucede luego con algunas parejas. Los votos comienzan a perder valor. Deciden dejar de lado en respeto sagrado que se deben mutuamente.

Quizá uno de ellos comienza a quedarse más tarde en la oficina. Las mentiras y la decepción comienzan a cubrir el corazón. En un momento de debilidad quebrantas sus votos matrimoniales.

El cónyuge comienza a darse cuenta de que la relación se está alterando. Se produce la confrontación y la verdad queda al descubierto. Los sueños se desvanecen porque la lujuria reemplazó a la fidelidad. La confianza y la verdad se perdieron.

La triste realidad es que esto sucede con demasiada frecuencia. Los sueños se convierten en pesadillas. Los cónyuges pasan por la puerta donde una vez pronunciaron sus votos. Pero ahora van camino a los tribunales para terminar con dicho compromiso.

El amor ha desaparecido y sus corazones son "de piedra". Las risas se convirtieron en lágrimas. El gozo se convirtió en lamento. La verdad se convirtió en mentira. La devoción pasó a ser decepción. El compromiso se rompe y el matrimonio finalmente se acaba.

Sin embargo, Dios quiere que construyamos nuestras relaciones sobre la base o el cimiento de la verdad. Esto desarrollará la confianza. Una vez que hay confianza, la relación cuenta con un gran potencial. La honestidad es la clave para desarrollar la lealtad en todas las relaciones. La honestidad es siempre la mejor estrategia.

Mi amigo o amiga, desarrolle sus relaciones sobre la base de la verdad. Esto establecerá una base duradera de confianza. Asegúrese de decir la verdad en términos claros. Sea sincero. No ande con vueltas.

Con el tiempo, usted desarrollará una cualidad magnífica si se maneja con la verdad. La gente sabrá que puede confiar y depender de usted. Sabrán que sus palabras no tienen un doble sentido. No use palabras que puedan ser engañosas. Tenga cuidado con las exageraciones, y por supuesto, siempre cumpla con lo que se ha comprometido.

Todas estas cosas le permitirán edificar una vida honesta. La gente lo respetará porque usted ha ganado su confianza. Los seguirán como líder y escucharán sus ideas. La verdad construirá una base positiva de confianza.

Lo más importante es que usted podrá mirarse frente al espejo. Y no se sentirá avergonzado por lo que ve. Se sentirá sanamente orgulloso y se respetará a usted mismo. No se sentirá avergonzado ni tendrá nada que ocultar.

Recuerdo la interesante historia que relató R. Kent Hughes con respecto a un hombre joven, muy honesto que jugaba fútbol en la escuela secundaria. Era un jugador destacado y había obtenido el mayor puntaje para la escuela. Pero lo que le permitió influir tanto en la escuela y en la comunidad fue su honestidad.

En el último partido su equipo estaba perdiendo por 3 a 2 y tan solo faltaban unos segundos para terminar. Parecía que terminaría su carrera con una derrota. Se esforzó desesperadamente para intentar, al menos, empatar y conseguir tiempo extra. Quería ganar. Pateó la pelota justo cuando se acababa el tiempo. ¡E hizo un gol! ¡Su equipo estaba eufórico!

Lo que sucedió después fue sorprendente. El referí tenía que determinar si el gol se había hecho durante el tiempo de juego. El reloj del tablero marcaba la hora oficial. No había sonado la bocina, pero existía la confusión con respecto a esto.

Por último, el referí reconsideró su decisión e invalidó el gol. Parece ser que este joven honesto le informó que el tiempo de juego se había terminado. Les dijo que había mirado el reloj antes de hacer el gol y que estaba en cero.

Mi amigo o amiga, esto pudo haber sido una pérdida inaceptable, pero sin embargo se convirtió en una gran victoria. El joven demostró su integridad y una verdadera cualidad de campeón. Su vida iba más allá de los triunfos y las derrotas. Su verdad se basaba en la verdad. Demostró su honestidad y esto le valió la admiración. Se había ganado la mayor victoria, la de una moral sana. La sinceridad sienta las bases de la verdad

De la misma manera usted puede confiar en Dios. La

Escritura dice que no podemos mentirle a Dios. Dios siempre dice la verdad y cumple sus promesas.

2 Corintios 1:20 dice:

Porque todas las promesas de Dios son en él Sí, y en él Amén, por medio de nosotros, para la gloria de Dios.

Sí, usted puede contar con que Dios cumplirá con su palabra. Jesús murió por nuestros pecados y resucitó. Su resurrección validó todas las promesas en la Palabra. Podemos confiar por completo en Jesús porque: "Él es el camino, la verdad y la vida". La sinceridad sienta las bases de la verdad.

Capítulo 36

La responsabilidad significa: Vivir sin dar pretextos

Toda persona exitosa es responsable. De hecho, todo líder sabe la importancia que tiene asumir la responsabilidad. Después de todo, cualquiera puede dar pretextos, pero la gente que tiene entereza sabe que: vivir de modo responsable significa no dar pretextos.

La Palabra de Dios lo ilustra con el ejemplo de una hormiga. Un insecto muy pequeño pero que demuestra una increíble responsabilidad. Proverbios 6:6-8 dice:

> *Ve a la hormiga, oh perezoso, mira sus caminos, y sé sabio; la cual no teniendo capitán, ni gobernador, ni señor, prepara en el verano su comida, y recoge en el tiempo de la siega su mantenimiento.*

El énfasis de este pasaje es la responsabilidad que demuestra esta pequeña. Trabaja duro y planea con anticipación. Es responsable por la provisión de su familia y por los planes del futuro. Es una lección increíble de responsabilidad y productividad.

Sí, vivir de modo responsable significa no dar pretextos. Cualquiera puede dar un pretexto. Siempre hay demasiadas razones para no poder hacer un trabajo o cumplir con un compromiso. Sin embargo, las personas que son responsable no dan pretextos. Es interesante ver que hace cincuenta años atrás el énfasis estaba en las obligaciones y las responsabilidades. Hoy, el énfasis está en los derechos y privilegios. La gente peleará por sus derechos y le dará la espalda a las responsabilidades.

Creo que los triunfadores en la vida son quienes hacen un esfuerzo extra sin dar pretextos. Vince Lombardi dijo que "ganar no es algo de un día, sino de siempre. Uno no gana de vez en cuando, ni hace lo que está bien de tanto en tanto, siempre se comporta así. Ganar es un hábito. Desafortunadamente, perder también lo es".

Sí, los ganadores en la vida son personas sin pretextos. Cuando se les asigna una tarea, la cumplen con responsabilidad. Los ganadores son personas que siempre finalizan su trabajo. La gente responsable está dispuesta a hacer un esfuerzo extra. Su única medida aceptable es la excelencia.

Conocen el valor que los llevará a lograr el éxito. Las personas responsables nunca piensan en bajar los estándares. Los líderes son personas responsables que obtienen buenos resultados más allá de las circunstancias. Convertirán una situación negativa en positiva. En resumen, vivir de modo responsable significa no dar pretextos.

La Escritura dice en 2 Timoteo 2:3:

Tú, pues, sufre penalidades como buen soldado de Jesucristo.

Sí, una persona responsable desarrolla la disciplina de un soldado. Cumple con su tarea cualquiera sea su desafío. También dan todo de sí más allá de lo que le digan. Reflejan las características que este poema describe.

DE TODOS MODOS

Si la gente es irracional, ilógica, egoísta
ámela de todos modos
Si usted hace el bien, la gente lo acusará de egoísta y de tener motivos ocultos

haga el bien de todos modos
Si usted tiene éxito, se ganará amigos desleales y enemigos verdaderos,
tenga éxito de todos modos.
El bien que usted haga hoy puede que mañana se olvide
haga el bien de todos modos
La honestidad y la franqueza lo harán vulnerable
sea honesto y franco de todos modos.
La gente ama a las víctimas pero solo sigue a los que están en la cima
siga a alguna víctima de todos modos
Lo que le llevó años construir tal vez se destruya de la noche a la mañana
construya de todos modos.
La gente realmente necesita ayuda pero puede atacarlo a usted si intenta ayudar
ayude a la gente de todos modos.
Si usted le ofrece al mundo lo mejor de sí mismo, quizá salga golpeado
pero déle al mundo lo mejor de usted.
DE TODOS MODOS

Sí, las personas responsables dan lo mejor de sí mismas. El verdadero éxito es alcanzar el máximo potencial en la situación en la que se encuentra. Creo por completo que un signo de madurez es aceptar la responsabilidad.

Muchos de mis amigos saben que yo soy un admirador de John Wayne. Me encanta ver la vieja película titulada “Duke”. Su estilo y mentalidad de “dejar las cosas hechas” van conmigo. El argumento es sencillo y el mensaje claro. El bien siempre triunfa sobre el mal. Al final, el bien siempre prevalece.

La película los “Cowboys” da un claro mensaje de responsabilidad. En esta película el Duke tiene que trasladar al ganado y todos se han ido. Se fueron en busca de oro en las riberas del río Ruby. Cuando llega el momento, Duke se encuentra sin ayuda. Está parado con la espalda apoyada sobre la pared. Decide emplear a algunos jóvenes adolescentes.

A medida que la película avanza, se descubre un claro mensaje sobre la cualidad de ser responsable. Está enseñando algo más que pastorear el ganado. Está enseñando importantes lecciones de vida. La más importante es la de vivir sin dar pretextos. Cumplir con el trabajo y rehusarse a abandonarlo. El mensaje acerca de la responsabilidad es fuerte y claro: Vivir sin dar pretextos.

Por último, unos ladrones de ganado atacan al grupo por sorpresa. Uno de los ladrones comienza a violentarse con uno de los jóvenes. El Duke sale en defensa y desafía al ladrón a una pelea mano a mano. Después de que el Duke maltrata al ladrón, el cobarde le dispara en la espalda. Es uno de esos pocos momentos en los que John Wayne muere en la película.

Pero, los jóvenes están decididos a llevar el ganado. El cocinero trata de convérsenlos de que no lo hagan porque los matarán. Luego, se escucha una de las clásicas líneas de la película dichas por "Slim", el líder de los jóvenes. El joven levanta su rifle y dice: "Vamos a terminar este trabajo". Entonces, recuperan el ganado y lo llevan al mercado.

Sí, vivir de modo responsable significa no dar pretextos. La responsabilidad espiritual tampoco da pretextos. De hecho la Escritura es clara al decir que Dios no acepta nuestros pretextos si rechazamos a Jesucristo como Señor y Salvador. Romanos 1:20 dice: "Porque las cosas invisibles de él, su eterno poder y deidad, se hacen claramente visibles desde la creación del mundo, siendo entendidas por medio de las cosas hechas, de modo que no tienen excusa".

Sí, Dios dice que no podremos dar excusas cuando estemos delante de Él. Él nos ha dado la posibilidad de aceptarlo por fe. Se ha revelado por medio de su Hijo, el Señor Jesucristo. Juan 1:18 dice: "A Dios nadie le vio jamás; el unigénito Hijo, que está en el seno del Padre, él le ha dado a conocer".

Sí, Jesús nos ha revelado al Padre. Jesús fue a la cruz para demostrarnos el amor de Dios. Jesús pagó nuestra deuda por completo cuando murió en la cruz y resucitó por nosotros. La resurrección de Cristo es una prueba viviente de la victoria sobre la tumba.

Mi amigo o amiga, Jesús le ofrece el regalo gratuito de la vida eterna a todo aquel que crea. Por eso nuestra responsabilidad es invitar a Cristo a nuestra vida por fe. Una vez que ha confiado en Cristo como Salvador, puede seguirlo como Señor. Demostrará su fe al obedecer el señorío de Cristo.

Sí, una de las maneras de ser una influencia positiva es cumplir con las responsabilidades que le conciernen en cuanto a la fe. Cumpla con sus compromisos. Camine la milla extra. Cumpla con el trabajo y no se rehúse a abandonarlo. Sí, vivir de modo responsable significa no dar pretextos.

Capítulo 37

El amor es la base de la amistad verdadera

Se dice que no hay un hombre que pueda aislarse. Todos necesitamos un amigo. En realidad, la mejor manera de hacerse de un amigo es siendo un amigo. Por lo tanto, quiero considerar la cuestión de que "el amor es la base para una amistad verdadera".

Proverbios 17:17 dice:

En todo tiempo ama el amigo, y es como un hermano en tiempo de angustia.

Sí, un amigo es alguien a quien usted ama incondicionalmente. No significa que usted esté de acuerdo con todo lo que su amigo hace. No significa que usted acepte todo lo que él o ella hace. Sin embargo, significa que usted prefiere demostrarle su amor de una manera positiva.

La primera palabra que me viene a la mente cuando me refiero a la amistad es "lealtad". Sí, la lealtad es importante en todas nuestras relaciones. Las verdaderas amistades permanecerán en toda circunstancia.

Dicho sea de paso, una de las claves de un matrimonio exitoso es que el esposo y la esposa se conviertan en grandes amigos. Esto edificará la base de la lealtad y también realzará el amor. Puedo decirle con sinceridad que mi esposa, Cindi, es mi mejor amiga. Es el amor de mi vida y "el viento bajo mis alas". Ella es la que más me anima y mi compañera en el ministerio.

Otro aspecto importante de la amistad es poder contar con esa persona. La Escritura dice que "un hermano surge de la adversidad". En otras palabras, una amistad verdadera se fortalece en los momentos difíciles. Este es el momento en que su amigo más necesita contar con usted.

En realidad, en los momentos de adversidad es cuando con frecuencia vemos quienes son nuestros verdaderos amigos. Cualquiera se acerca a nosotros en los buenos tiempos de éxito. Sin embargo, cuando aparece una circunstancia difícil, esto se convierte en una prueba para la amistad. ¿Quién permanece en los tiempos difíciles? ¿Quién está a nuestro lado cuando los demás nos dan la espalda?

Algunas veces, en los momentos difíciles nos damos cuenta de quien en verdad cree en nosotros. Las personas que se hacen a un lado cuando las circunstancias no son favorables, quizá nunca fueron verdaderos amigos. Pero los que permanecen a nuestro lado, son los verdaderos amigos.

Recuerdo la amistad entre Gayle Sayers y el último Brian Piccolo. En la película titulada "La canción de Brian" narra de un modo bello esta historia verídica.

En 1965, Gayle Sayers y Brian Piccolo eran unos novatos en los Chicago Bears. Competían por la misma posición. Piccolo había sido el líder nacional del año anterior mientras jugaba fútbol en la universidad de Wake Forest. Pero, Gayle Sayers llevaba la delantera con los Bears.

George Halas decidió hacer algo único. Les asignó una habitación a Gayle Sayers y a Brian Piccolo para que estuvieran juntos. Esta era la primera vez en la historia de la NFL que un atleta negro compartía la habitación con uno blanco. Después de todo, en 1965, con la tensión racial que había en el país, era irritante para estos dos atletas compartir una habitación.

Sin embargo, se creó una amistad preciosa. Sayers y Piccolo se convirtieron en grandes amigos dentro y fuera del campo de juego. Las paredes del racismo se habían derribado y se había establecido una comunicación sincera. Eran como hermanos. También sus esposas se hicieron amigas.

La amistad también favoreció al equipo de los Chicago Bears. Durante la segunda temporada, Sayers sufrió una terrible lesión en la rodilla. Parecía que su brillante carrera se terminaría. Piccolo reemplazó a Sayers en el campo de juego y lo ayudó a restablecerse. Piccolo ayudó a Sayers a entrenarse y constantemente lo alentaba. El médico le dio el alta y pudo retomar el fútbol a la siguiente temporada. Como resultado tanto Sayers como Piccolo era una combinación ganadora..

Pero, al poco tiempo, Brian Piccolo tuvo que enfrentarse con otra batalla. Se le diagnosticó cáncer cuando solo tenía 26 años. Ahora le tocaba a Sayers animar a Piccolo y ayudarlo a superar los malos momentos. Piccolo había ayudado a Sayers para que pudiera regresar al fútbol, y ahora Sayers estaba ayudando a Piccolo a pelar por su vida.

Al finalizar la temporada, Gayle Sayers ganó el prestigioso premio "George S. Halas". Se lo otorgaron al jugador que había demostrado tener más valor. Sayers lo recibió al demostrar su valor cuando tuvo que sobreponerse a la lesión de la rodilla. Cada vez que llevaba la pelota corría el riesgo de volverse a lesionar la rodilla, Ahora, se lo reconocía en un banquete por su tremendo valor.

Sin embargo, cuando Sayers recibió este premio comenzó a hablar de su amigo, Brian Piccolo, que estaba agonizando en el hospital. Dijo que su amigo tenía el corazón de un gigante. Piccolo tenía un valor muy particular al tener que enfrentarse a su peor oponete, el cáncer. Sayers expresó: "Ustedes me halagan con este premio, pero Brian Piccolo es un hombre de valor. Este premio es mío en esta noche, pero mañana será de Brian Piccolo". Comentó: "Aprecio a Brian Piccolo y quiero que todos ustedes también lo hagan, y esta noche, cuando se arrodillen, pídanle a Dios que lo ame a él".

Todos estaban conmovidos cuando Gayle Sayers se sentó. La amistad entre Sayers y Piccolo fue de inspiración para todo el equipo. Piccolo perdió su batalla contra el cáncer, pero el mundo obtuvo un destacado ejemplo de una amistad verdadera. Sí, los verdaderos amigos se quieren siempre y se ayudan en los momentos de dificultad de la vida. El amor es la base de la amistad verdadera.

Mi amigo o amiga, permítame contarle acerca de otro amigo que lo ama siempre. Se llama Jesucristo. La Biblia dice que Jesús es un amigo más allegado a nosotros que un hermano. Sí, dos mil años atrás, Dios dejó el cielo para transformarse en una persona, Jesucristo. Dio su vida en la cruz como demostración de su amor por sus amigos, la raza humana. Jesús dice en Juan 15:13: "Nadie tiene mayor amor que este, que uno ponga su vida por sus amigos".

Sí, Jesucristo ama a todos. En realidad, hasta lo llamaron "amigo de los pecadores". Su amor es incondicional. Su lealtad inolvidable. Siempre podemos contar con Él. Él será su Salvador y Señor, y el amigo más allegado a usted que un hermano.

Mi amigo, ¿Sabía que "un amigo es más allegado a usted que un hermano"? Por qué no entregarle su vida a Jesús y conocer a aquel que lo ama y que dio su vida en la cruz por usted.

Simplemente invite a Cristo a su vida como Salvador y Señor. Dígale que usted cree que Él murió y resucitó por usted. Jesús perdonará sus pecados, le dará un lugar en el cielo y se transformará en un amigo que lo amará en todo momento. El nos promete que "nunca nos dejará ni nos abandonará". El amor es la base de la amistad verdadera.

CAPÍTULO 38

VIAJAR POR UN CAMINO ELEVADO DISMINUIRÁ LAS DISTRACCIONES

Todos debemos decidir por qué camino queremos viajar. Podemos encarar la travesía de nuestra vida por el camino elevado o el camino bajo. Podemos ser una influencia positiva o negativa. Creo que usted se dará cuenta de que: "Al viajar por el camino elevado disminuirá el nivel de distracciones".

Colosenses 3:1-2 dice:

Si, pues, habéis resucitado con Cristo, buscad las cosas de arriba, donde está Cristo sentado a la diestra de Dios. Poned la mira en las cosas de arriba, no en las de la tierra.

Sí, amigo mío, una vez que usted confía en Cristo como Señor y Salvador, usted está en el camino elevado. Dios quiere que su vida refleje una actitud celestial. El creyente tiene el desafío de "vivir con la perspectiva de la eternidad". Tenemos que desarrollar valores eternales. Esto nos permitirá representar a Cristo de un modo positivo en la tierra.

Cuando usted sigue a Cristo, estará por encima de las distracciones negativas. Su corazón se acercará al Señor y se alejará de las influencias destructivas. La actitud de su corazón estará directamente relacionada a la altitud de sus pensamientos.

Viene a mi mente la historia de un piloto que estaba volando sobre el desierto arábigo. Aterrizó en un oasis para cargar combustible. Una vez que se abasteció, continuó con su vuelo. Mientras volaba sobre la región montañosa comenzó a escuchar un sonido extraño detrás de él. El piloto se dio cuenta de que un animal se había metido en el fuselaje. Sabía que el animal podría morder algunos de los cables eléctricos y causar un serio problema de funcionamiento. Por lo tanto, tenía que resolver el problema o estaría corriendo un riesgo grave.

Miró el terreno montañoso y vio que un aterrizaje de emergencia sería imposible. Comenzó a ponerse nervioso al darse cuenta de la peligrosidad de su situación. Sus opciones eran limitadas a medida que saltaba a la vista la posible muerte.

Después este piloto tuvo una idea. Movió la palanca hacia atrás y comenzó a elevarse más. Aceleró el avión al máximo y comenzó a volar cada vez más alto. Después de alcanzar una gran altitud, se dio cuenta de que los sonidos había cesado.

Más tarde, cuando llegó a destino hizo un interesante descubrimiento. Encontró una rata del desierto en el fuselaje. Había trepado sin que el piloto se diera cuenta cuando recargaba el combustible en el oasis del desierto.

La rata enorme murió cuando el piloto voló a gran altitud. Esta tan acostumbrada al clima desértico que no pudo sobrevivir a las alturas. Por lo tanto, la astuta idea del piloto lo había resguardado de una tragedia potencial. Sí, al viajar por el camino elevado disminuirá el nivel de distracciones.

Amigo mío, lo mismo sucede en la vida. Usted estará mucho mejor si viaja por el camino elevado. Relaciónese con personas positivas y estará en mejores condiciones. Sea una persona positiva y los demás disfrutarán de su compañía. No se distraiga con pensamientos de bajo nivel. Decida estar por encima de eso. Después de todo, es un mejor camino para andar.

Cualquiera puede andar por el camino bajo. Es tan fácil encontrar fallas en los demás. Sin embargo, si usted busca lo bueno, lo hallará. Esto le permitirá influir de una manera positiva en un mundo negativo, Atraerá a la gente gracias a su personalidad positiva y cautivante. Será alguien que dé aliento. Las personas se sentirán felices al tener la oportunidad de pasar tiempo con usted. El día será más brillante porque usted fue parte de eso.

La vida por el camino elevado comienza con una sonrisa. Es un simple gesto, pero con un efecto poderosísimo. Sonría y el mundo le responderá con una sonrisa. Rehúsese a andar por el camino bajo con una bandada de ratas. La conversación negativa invadirá su espíritu y le robará la energía. Le robará el gozo y no dejará que desarrolle su potencial.

La gente negativa intentará sabotear sus sueños y metas. Destruirán cualquier idea creativa. Quieren que todos se revuelquen en el fango con ellos. La gente negativa se siente amenazada por la persona que tiene una mente positiva orientada al éxito. Por lo tanto, intentarán arrastrarlo hacia la bajeza.

Pero, la gente positiva lo elevará a otro nivel. Usted obtendrá la confianza necesaria para lograr sus metas. La gente positiva influirá en usted para que sus sueños se hagan realidad. Usted remontará con sus fuerzas y desarrollará el potencial que Dios le ha dado. La gente positiva influirá en usted y lo animará a caminar con el Señor. Lo ayudará a ver la vida a través de la perspectiva de Cristo.

Sí, ponga su mente en las cosas de arriba. Llene su mente con la Palabra de Dios y permita que la Escritura sea "lámpara a sus pies y lumbrera a su camino". Concéntrese en las promesas de Dios y obtenga el éxito que Él ha planeado para usted. Transite por el camino elevado con gente positiva que disfrutará de la travesía con usted. A medida que vaya por el camino elevado. dejará de lado las distracciones negativas. Santiago 4:8 dice: "Acercaos a Dios, y él se acercará a vosotros". Sí, las fuerzas destructivas del mal perderán fuerzas a medida que usted se desplace por el camino elevado.

Recuerde mi amigo o amiga; vuele alto y las ratas no volarán con usted. Elimine las distracciones a medida que viaja por el camino elevado del éxito.

Capítulo 39

Desarrolle la confianza e ignore la crítica destructiva

¿Se ha dado cuenta de que las personas exitosas tienen confianza en sí mismas? No estoy hablando de un orgullo arrogante, sino de un profundo sentido de calma interior. Es una confianza en Dios y en su poder, como también en la destreza propia que Dios les ha dado. Filipenses 4:13 dice:

Todo lo puedo en Cristo que me fortalece.

Este tipo de fe se arraiga en que:

Si Dios es por nosotros, ¿quién contra nosotros? (Romanos 8:31)

La persona que tiene confianza en sí misma no se deja persuadir por la multitud ni la crítica destructiva. Esta persona recibirá de buen modo la opinión sincera de los demás y hasta aceptará la crítica constructiva. Después de todo, todos podemos aprender a mejorar.

Sin embargo, la crítica destructiva es negativa y contraproducente. Siempre trata de menoscabar a aquellos que intentan alcanzar lo que el criticón no intentará. Los criticones con frecuencia se quejan de la manera en que las cosas se dan, pero tampoco hacen nada al respecto. Interpretan el mundo desde una perspectiva negativa y arrastran a los demás en ese proceso.

Desafortunadamente, muchas personas con buenas intenciones se intimidan y abandonan la tarea. La gente que no tiene confianza en sí misma verá afectada su autoestima debido a la crítica destructiva. Un sentido de inferioridad y de incompetencia hace que las personas sientan que no pueden realizar la tarea y la abandonen. En consecuencia, necesitan desarrollar la confianza e ignorar la crítica destructiva.

Quizá haya oído acerca de un anciano que viajaba de una ciudad a otra con su nieto. Se trasladaban en burro. El abuelo dejaba que su nieto montara al burro mientras él mismo caminaba a su lado.

De inmediato, la gente comenzó a criticarlos. "Miren al saludable y fuerte muchachito montado en el burro mientras el pobre anciano está sufriendo. Mi Dios, parece que el muchacho no tiene fuerzas suficientes como para caminar. Tendría que permitirle al anciano que montara el burro. Le debería dar vergüenza. ¡Qué es lo que sucede con los muchachos de hoy!"

Naturalmente, la crítica destructiva comenzó a incomodarlos. En consecuencia, el abuelo ocupó el lugar del nieto. Ahora el anciano iba montado en el burro y el muchachito caminaba. Se trasladaban felices por el camino al haber eliminado las habladurías negativas.

Bien, al rato, llegó otro grupo de gente. ¿Sabe qué? La crítica destructiva comenzó otra vez. Esta vez la gente decía: "Pero miren eso. Miren al saludable y fuerte hombre montado en el burro mientras el pobre muchachito está sufriendo. ¿Pueden creerlo? Qué terrible el anciano usurpándole las energías al inocente muchachito. Le debería dar vergüenza".

Desafortunadamente, la crítica destructiva comenzó a hacer sentir culpable al abuelo. Le molestó que hablaran de él de un modo tan negativo. No quería que la gente lo despreciara. Pensó que quizá había una manera mejor de hacerlo.

Entonces se le ocurrió una idea. Él y su nieto irían montados en el burro. Después de todo era un "animal de carga" y podía cargar perfectamente con dicho peso. Sí, esta sería la solución perfecta para eliminar las habladurías. Entonces, invitó a su nieto a que se subiera al burro y ambos iban felices montados.

Viajaron bien por un rato. Pero, otro grupo de gente vino y comenzó de nuevo la crítica destructiva. La gente se molestó por la falta de consideración hacia el animal.

"Miren eso", objetaban entre dientes. "¿Pueden creer la desconsideración de esos dos con tanto peso montados en el burro? Tendrían que estar avergonzados por hacer sufrir al pobre burro con todo ese peso. ¿Qué es lo que sucede con esos dos descorazonados seres humanos?"

El anciano, quiso una vez más evitar la crítica. Después de todo, no quería iniciar un movimiento de "salvataje de burros". Por lo que decidió que ambos irían caminando al lado del burro. Quizá así podrían viajar en paz sin que los criticaran.

Tal como usted puede imaginarse, no pasó mucho tiempo antes de que la crítica comenzara otra vez. Otro grupo de gente se acercó y las habladurías comenzaron nuevamente. Esta vez decían: "Miren que desaprovechamiento. Mi Dios, miren a ese saludable burro que ni siquiera usan. Que ridículo. ¿Qué les pasa a esos dos idiotas? Alguno de los dos tendría que tener el suficiente sentido común como para montar el burro".

El anciano y su nieto ya estaban completamente frustrados a esta altura debido a toda la crítica. Parecía que no importara lo que hicieran, siempre la gente los criticaría. Era desmoralizante. Por último, ya desesperados, ¡decidieron llevar ellos al burro sobre sus espaldas! Pero el cansancio los agotó y nunca pudieron llegar a la otra ciudad. Trataron de complacer a todos y no lograron nada.

Mi amigo o amiga, es importante desarrollar la confianza e ignorar la crítica destructiva. De lo contrario, se sentirá infeliz y logrará muy poco. Dios puede darle toda la confianza que usted necesita. La Biblia dice en Filipenses 2:13:

Porque Dios es el que en vosotros produce así el querer como el hacer, por su buena voluntad.

Sí, cuando usted conoce a Cristo como Señor y Salvador, entonces Dios obra en su vida. Usted puede estar seguro de que Él tiene un plan maestro para usted. También puede reclamar la promesa de que todo funcionará para bien. Romanos 8:28 dice: "Y sabemos que a los que aman a Dios, todas las cosas les ayudan a bien, esto es, a los que conforme a su propósito son llamados". Sí, Dios promete darle forma a los eventos de la vida para que usted se acerque a Él.

Jesús también nos da el entendimiento de la Biblia para guiar nuestra vida con la verdad eterna. 1 Pedro 1:23 dice:

Siendo renacidos, no de simiente corruptible, sino de incorruptible, por la palabra de Dios que vive y permanece para siempre.

Sí, Dios nos da vida eterna y luego guía nuestra vida por medio de la verdad eterna de la Escritura. Cristo nos da vida eterna una vez que confiamos en Él. Luego, nos da vida eterna para ayudarnos a que lo sigamos. Entonces Dios promete obrar en su vida para hacer que usted viva para Él. Esta es la fórmula para el éxito que no puede fallar. Con Cristo como guía en su vida, usted puede desarrollar la confianza necesaria para reclamar las promesas de Dios para usted. Jesús dijo en Mateo 19:26:

Para los hombres esto es imposible; mas para Dios todo es posible.

Mi amigo o amiga, usted debe aprender a desarrollar la confianza e ignorar la crítica destructiva. Después de todo la gente criticó a Cristo mientras estaba en la tierra. La gente estaba tan cegada por el negativismo que no pudo reconocer las obras maravillosas que Él realizaba. Sin embargo, Jesús las realizó de todos modos. Él ignoró las críticas y usted debería hacer lo mismo. La misma multitud que lo aclamó diciéndole "hosanna" el domingo se volvió en su contra el viernes al gritarle "crucifíquenlo".

Sí, ignore a la multitud. Tenga la confianza suficiente en Dios para destacarse por sobre la multitud. Nunca eliminará la crítica, entonces ni siquiera lo intente. Lo más importante, no permita que la crítica negativa lo desanime. Fije la mira en lo alto, trabaje duro y haga caso omiso de la crítica, y así logrará lo mejor. Sí, desarrolle la confianza en sí mismo e ignore la crítica destructiva.

Capítulo 40

Nada grandioso ha sucedido alguna vezque se mantenga en un nivel razonable

Solo hay una pequeña diferencia entre lo "bueno" y lo "grandioso". Por lo tanto, quienes logran el más grande éxito empiezan con una alta norma de excelencia. Después de todo, nada grande ocurre en un nivel simplemente bueno.

La gente que logra lo grande reconoce que el "promedio" es el enemigo de la "excelencia". Se ha dicho que el promedio es "el mejor de lo peor y lo peor de lo mejor". Aquellos que bajan la norma siempre llegan a tener un nivel de mediocridad y un espíritu de apatía. Pero, los que mejores se desempeñan entienden que subir la norma resulta para el éxito.

Amigo mío, yo verdaderamente creo que Dios nos llama a exigirnos a la excelencia. Colosenses 3:23 dice:

Y todo lo que hagáis, hacedlo de corazón, como para el Señor y no para los hombres.

Dios nos dice que pongamos todo nuestro corazón en nuestras metas. La expresión "hacedlo de corazón" implica la idea de entusiasmo. La palabra "entusiasmo" tiene un origen interesante. Proviene de dos palabras: "En" que quiere decir "dentro" y "theos" que quiere decir "Dios". En otras palabras, el entusiasmo verdadero es el poder de Dios trabajando en usted.

Cuando Dios está trabajando en usted, entonces tendrá la energía para lograr la excelencia. Usted le dará la gloria a Dios al esforzarse en servirlo. Optará por la filosofía que expresa que Dios no es glorificado en la mediocridad. Tendrá el deseo de lograr una norma de excelencia y representar a Cristo de manera positiva.

Descartará la idea de actuar según el promedio. No querrá tener nada que ver con lo "el mejor de lo peor y lo peor de lo mejor". El logro de la excelencia será la única norma que lo motivará a lograr el éxito.

Creo que es importante acordarse de que Dios nos ha llamado a ser la "luz en el mundo". Jesús dijo en Mateo 5:14-16: "Vosotros sois la luz del mundo. Una ciudad asentada sobre un monte no se puede esconder. Ni se enciende una luz y se pone debajo de un almud, sino sobre el candelero, y alumbra a todos los que están en casa. Así alumbre vuestra luz delante de los hombres, para que vean vuestras buenas obras, y glorifiquen a vuestro Padre que está en los cielos".

Sí, al tratar de lograr la excelencia usted se destacará de la multitud, esto permitirá que su luz dé brillo y luminosidad a un mundo oscuro. Su vida brillará como una potente luz y reflejará el amor de Cristo de un modo positivo. Influirá a las personas que buscan a Jesús, la fuente de su fortaleza.

Las personas que quieren lograr la excelencia no permitirán que el tiempo los detenga. Muchas personas grandiosas en la historia no alcanzaron su potencial sino hasta los últimos años de su vida. Por ejemplo: el Coronel Sanders, fundador de la cadena de restaurantes Kentucky Fried Chicken, tenía 70 años cuando descubrió el valor del "sabroso pollo para chuparse los dedos". Fíjese que muchas personas se jubilan y hasta allí llegaron, pero el Coronel Sanders continuó con una carrera sorprendente.

La Biblia contiene relatos increíbles de ancianos que obtuvieron grandes logros. Por ejemplo, Moisés tenía 80 años cuando guió a los hijos de Israel para que dejaran de ser esclavos. Allí estaba, en la madurez de sus 80, diciéndole al hombre más poderoso del mundo que "dejara libre a su pueblo". Se necesitaba ser valiente para decir algo así. Sí, Moisés tuvo la entereza para hablar de parte del Señor. El resultado fue sorprendente.

También tenga presente que los jóvenes hacen su contribución. Por ejemplo, Los Beatles apenas eran unos adolescentes cuando cambiaron el estilo de la música pop para siempre. Muchos de nosotros aún recordamos el show de Ed Sullivan que lanzó a los Beatles en Estados Unidos. La nueva música barrió el mundo. Ya sea que le guste o no: "Acá tenemos al rock and roll".

La Biblia también nos da el ejemplo de jóvenes que lograron grandes éxitos. David tenía solamente 16 ó 17 años cuando venció a Goliat. Toda la nación se paralizó de terror cuando David dio un paso de fe. Demostró tener una absoluta confianza en Dios.

Al vencer a Goliat inspiró a muchas generaciones por centurias. Muchas personas han superado los obstáculos al seguir el ejemplo de David, porque todo comenzó con una actitud de fe. David escribió en el Salmo 27:1:

> *Jehová es mi luz y mi salvación; ¿de quién temeré? Jehová es la fortaleza de mi vida; ¿de quién he de atemorizarme?*

Mi amigo o amiga, atrévase a ser un soñador. Prosiga la meta con todo su corazón. Rehúsese a vivir como el individuo promedio. Sea un líder de cambio positivo. Después de todo, tal como lo dice el refrán: "Si usted no es el líder, la situación nunca cambiará".

Viva de un modo entusiasta. Rehúsese a escuchar a las personas pesimistas. Ignórelos y siga adelante. Recuerde, que siempre habrá personas molestas a su alrededor. Destáquese y quite de su vocabulario la palabra promedio.

Construya una relación estupenda con su cónyuge e hijos. Trabaje dando lo mejor de sí mismo. Participe del servicio a la comunidad y demuestre un espíritu de excelencia. Decídase a impactar este tierra con una contribución positiva a la comunidad. Después de todo, nada grande ocurre en un nivel simplemente bueno.

Al norte de Indiana, este principio del éxito fue muy bien representado por el programa de fútbol de la escuela secundaria Penn. Ellos se han elevado a una nivel incomparable y literalmente son una liga propia. Realmente es una historia de éxito americano.

Después de todo, a principios de los años 1970 los Penn Kingsmen realmente eran las víctimas del fútbol de la secundaria. No era fuera de lo común que Penn solo ganara uno o dos juegos por temporada. Una temporada ganadora sería un sueño hecho realidad. Un campeonato de conferencia jamás se esperaba. Un campeonato estatal sería inimaginable. Entonces entró en escena el entrenador Geesman.

Él empezó a armar un programa con una norma de excelencia. Se podrían haber dado toda clase de excusas para explicar por qué ellos no podía ganar. Pero, él trajo una filosofía de "fútbol sin excusas". Después de todo, los que ganan en la vida dan esfuerzo y no excusas. Creo que los triunfadores en la vida son quienes hacen un esfuerzo extra sin dar pretextos.

Penn empezó trabajando arduamente desde el comienzo. Fue claro en que el talento requería: t-r-a-b-a-j-o. Pronto las victorias eran más que las derrotas. En unos pocos años ellos no solo ganaron, se hicieron virtualmente invencibles. Para 1983 habían ganado su primer campeonato estatal. ¡En 1995, 96 y 97 ganaron tres campeonatos estatales uno atrás de otro! ¡Ganaron su quinto campeonato estatal en el año 2000!

Ahora hay literalmente unos pocos equipos en todo el estado de Indiana que pueden siquiera competir con Penn. Los clasificaron entre los mejores equipos de fútbol de secundaria en Estados Unidos. Hasta obtuvieron el récord nacional con el mayor número de temporada ganadas

Piénselo, un programa de fútbol que una vez fue un total fracaso ahora es el "rey de la selva". En términos bíblicos, ellos se han transformado en el "Gran oso del norte". Creo que el secreto para el éxito va más allá del gran tamaño de una escuela. Su tradición ganadora encontró su lugar en los corazones de los jugadores y de los entrenadores. Sí, el liderazgo del entrenador Geesman y el éxito de la escuela Penn en el fútbol son un gran ejemplo que demuestra que "nada grande ocurre en el nivel de lo simplemente bueno".

Creo que Dios quiere que usted deje su huella en este mundo también. La mejor manera de ser eficaz es estar comprometidos a una norma de excelencia. Esto lo ayudará a lograr su máximo potencial. Será una tremenda influencia y tendrá un impacto positivo en la comunidad donde vive.

Dios ciertamente le dio lo mejor que tuvo para ofrecer. Después de todo, 2 Corintios 9:15 dice:

¡Gracias a Dios por su don inefable!

Sí, Dios le ofrece un regalo increíble de vida eterna cuando usted confía en Cristo quien murió y resucitó por usted. Creer en Cristo le dará una nueva perspectiva a la existencia mientras aprende a vivir por fe. Sus normas serán elevadas y sus metas serán logradas para la gloria de Dios. Después de todo, nada grande ocurre en un nivel simplemente bueno.

Capítulo 41

La fe que mueve montañas

La fe que mueve montañas dice: "Cuando me enfrento con una montaña, me rehúso a darme por vencido. La cruzaré o rodearé, pero nunca me iré sin cruzarla". Después de todo, la montaña podría ser su oportunidad para descubrir un milagro. Sí, la persona con fe que mueve montañas y no tira la toalla ni abandona en el intento. Su fe le dará la determinación para aferrarse a las sogas de la vida y jalar hasta levantarte nuevamente.

Jesús dijo, Marcos 11:22-24, que la fe mueve montañas.

Tened fe en Dios. Porque de cierto os digo que cualquiera que dijere a este monte: Quítate y échate en el mar, y no dudare en su corazón, sino creyere que será hecho lo que dice, lo que diga le será hecho. Por tanto, os digo que todo lo que pidiereis orando, creed que lo recibiréis, y os vendrá.

Sí, las personas de fe no temen soñar grandes sueños. Poseen el coraje para intentar cosas grandes por medio del poder de Dios. Cuando uno tiene sueños grandes eso alimentará el entusiasmo. Los sueños grandes le darán una energía especial cuando se entregue de lleno al proyecto. Recibirá fuerzas de arriba, que lo ayudarán a desarrollar su fortaleza interna.

Cuando siga sus sueños, tendrá un enfoque adecuado de la vida. De hecho, muchas veces el tamaño de su problema va en proporción indirecta con respecto al tamaño de sus sueños. Cuando deje de soñar, comenzará a morir. Por el contrario, cuando sus sueños enardezcan su corazón, tendrá la visión para obtener éxito.

La clave para el éxito es "tener fe en Dios". El cimiento de la fe que mueve montañas es la confianza firme en la Palabra de Dios. El verdadero éxito es el resultado de la obediencia a la Palabra de Dios. Josué 1:8 dice: "Nunca se apartará de tu boca este libro de la ley, sino que de día y de noche meditarás en él, para que guardes y hagas conforme a todo lo que en él está escrito; porque entonces harás prosperar tu camino, y todo te saldrá bien".

Amigo mío, cuando lea la Biblia y descubra la verdad de las Escrituras, e incremente su confianza en Dios, Él lo habilitará para creer lo imposible. Después de todo:

Lucas 1:37 dice:

porque nada hay imposible para Dios.

Mateo 19:26 dice:

mas para Dios todo es posible.

Lucas 18:27 dice:

lo que es imposible para los hombres, es posible para Dios.

Marcos 9:23 dice:

Si puedes creer, al que cree todo le es posible.

Sí, sin lugar a dudas. Dios le ofrece una fe que mueve montañas. Jesús edificará su fe cuando usted estudie su Palabra. Al edificar su vida sobre la base de las Escrituras su fe se fortalecerá. La base de la fe que mueve montañas es el cimiento sólido de las Escrituras.

Pero, la duda es la barrera más grande para la fe que mueve montañas. Jesús dice que no debemos tener duda en nuestros corazones. La duda es una barrera de concreto para la fe. La duda bloqueará el fluyo de la fe y hará que el miedo lo congele.

La gente que cuestiona la autoridad de la Palabra de Dios generalmente está cuestionando la idea de que Dios sabe lo que es mejor para ellos. Este tipo de duda es un tremendo obstáculo para liberar la fe positiva en un Dios amoroso. De hecho, las Escrituras dicen que, "el que duda será como las olas del mar, llevados y traídos por el viento".

Pero, consideremos algunas de las bendiciones que vienen con la fe que mueve montañas. Una bendición que recibimos es el poder de superar los obstáculos. Las montañas representan a los obstáculos que nos enfrentamos en la vida. Jesús deja bien en claro que nuestra montaña de obstáculos será removida por la fe. Usted puede lograr grandes cosas cuando se enfrente a la montaña junto con Dios.

Puede remover los obstáculos de culpa por la fe en Jesús como su Salvador. Dios dice: "Si confesamos nuestros pecados, él es fiel y justo para perdonar nuestros pecados, y limpiarnos de toda maldad". Sí, Jesús perdona y no volverá a acordarse de nuestros pecados. Él toma nuestra montaña de culpa y la quita de nuestros hombros. Él conquistó el pecado cuando murió por nosotros en las más grande de todas las montañas: El Monte Calvario. Sí, alabamos a Dios por la cruz " vieja y áspera" que estuvo sobre "el Gólgota".

Otra bendición de la fe que mueve montañas es la destrucción de la duda. Dios quitará la montaña de duda, desilusión y angustia mientras usted ancla su fe en Jesús y su Palabra. Dios lo bendecirá con el poder de la oración. Los obstáculos serán removidos y tendrá un camino despejado directo al trono de Dios. Sus oraciones serán contestadas gracias a la fe que mueve montañas.

Me acuerdo de una historia acerca de un día frío, con nieve, en Washington DC cuando el vuelo número 90 de Air Florida se estrelló en el puente de la Calle 14. El avión, el equipaje y los pasajeros horrorizados de pronto fueron arrojados al agua helada. Fue una escena de pánico y desesperación.

Una azafata estaba nadando en la corriente helada esforzándose para mantenerse viva. Alguien en la costa le arrojó una soga pero ella no la pudo agarrar. Se hundió bajo el agua helada y volvió a emerger. Frenéticamente movía sus brazos y pedía por auxilio. Se hundió una segunda vez y se quedó abajo por mucho más tiempo. Finalmente emergió. Sus ojos bien abiertos mostraban el terror mientras intentaba respirar. Estaba pataleando inútilmente en las aguas heladas. Sus esperanzas de sobrevivir se desvanecían con rapidez.

Pero, de los despojos del trágico avión estrellado en el río Potomac, un verdadero héroe estaba apunto de nacer. Un hombre tímido y común llamado Vinnie Skutnick estaba apunto de emerger a la fama nacional. Estaba parado sobre el puente mirando la tragedia desarrollarse delante de sus ojos. Creyendo que él podía cambiar las circunstancias, decidió de pronto involucrarse. Rápidamente se quitó su sobretodo, sus botas y se tiró al agua helada.

Vinnie Skutnick comenzó a nadar como un campeón olímpico para llegar hasta la azafata que se ahogaba. Cuando llegó a su lado, le levantó la cabeza y los hombros afuera del agua. Luego le susurró al oído: “Vas a vivir”. Una vez que la sacó del río, le preguntaron a Skutnick por qué había arriesgado su vida para salvar a una extraña. Vinnie Skutnick dijo esto: “Yo no podía salvar a todos, pero podía cambiar las circunstancias de una persona”.

Amigo mío, lo mismo ocurrirá en su vida. Tal vez usted no cambie el mundo, pero Dios lo usará para dejar un impacto duradero en la vida de alguien. Sí, Dios demostrará su poder por medio de la fe que mueve montañas.

CAPÍTULO 42

LA FE CREE EN EL FUTURO

Una clave para ser una persona positiva de fe es creer en el futuro. No importa donde se encuentre usted hoy, puede proclamar con confianza: "TENGO UN FUTURO". La fe tiene la obsesión incurable de creer que: "LO MEJOR ESTÁ POR VENIR".

Sí, la fe cree en el futuro.

Dios quiere que usted tenga confianza en su futuro. Por ejemplo, Jeremías 29:11 dice:

Porque yo sé los pensamientos que tengo acerca de vosotros, dice Jehová, pensamientos de paz, y no de mal, para daros el fin que esperáis.

Sí, Dios tiene un futuro para usted. Dios quiere energizar su vida con la noción poderosa de que tiene un buen plan para su vida.

Salmos 84:11 dice:

Porque sol y escudo es Jehová Dios; Gracia y gloria dará Jehová. No quitará el bien a los que andan en integridad.

Que gran promesa tiene Dios para usted. Dios promete que no lo privará de ninguna cosa buena. La clave es tener fe en Dios y vivir para Él. La fe cree en el futuro porque la fe positiva está relacionada con aquel que controla el futuro.

Déjeme contarle una historia sobre una mujer que tuvo fe en el futuro. Tuvo todas las razones para darse por vencida; pero, se rehusó a hacerlo. Eligió tener fe en sí misma y creer en la esperanza de un gran futuro. Tenía todo en contra, pero, venció todo obstáculo.

Esta mujer quería muchísimo ser actriz. Pero, tenía algunos problemas. Era demasiado alta, demasiado delgada y no podía actuar. Esta mujer no podía bailar y no tenía presencia en el escenario. De hecho, se movía de manera extraña en el escenario.

Pero, tuvo fe en el futuro. Su madre decidió inscribirla en una buena escuela de arte escénico. Luego se enfrentó al comentario chocante del director de la escuela de arte escénico. El director, clara y fríamente, le dijo a la madre que la escuela era una pérdida de dinero para esta joven sin talento.

Pero, esta chica de 15 años estaba decidida a lograrlo. Fue cabeza dura y decidió proseguir con su carrera en el teatro. Lo que sea que no pudiera hacer, estaba decidida a intentarlo arduamente hasta aprender a hacerlo. Esta chica energética de 15 años se esforzaría más que los demás. Haría lo que fuera necesario para alcanzar al éxito, salvo sacrificar la integridad moral. Estaba decidida a que su talento sería el T-R-A-B-A-J-O.

Iba a llegar a la cima por los viejos medios. Trabajaría dando todo de sí. Ignoró a los que le dijeron que no tendría éxito. Esta chica tenía fe en el futuro.

Los siguientes 10 años fueron extremadamente duros. Ocasionalmente ella conseguía un pequeño papel, pero ninguna oportunidad prometedora. Los trabajos generalmente pagaban poco y a veces no pagaban nada.

Para poder sobrevivir en la Gran Manzana (Nueva York), se vio forzada a hacer trabajos diferentes. Había veces que ni siquiera le alcanzaba para comprar un café. Pero, se rehusó a rendirse y estaba decidida a tener éxito. Iba a llegar al teatro aunque le costara la vida.

De hecho, llegó un punto en que casi la mató de verdad. Cayó en una gran depresión e intentó quitarse la vida. Había llegado a un punto tal de cansancio que no pudo seguir adelante. El ritmo frenético la estaba dañando físicamente y llegó el punto en que la presión la abatió.

Pero, se rehusó a dejar de creer en sí misma y en la habilidad que Dios le había dado. Una vez que recuperó la salud, su apariencia era mejor que antes y el teatro comenzó a dar señales. Con fe en el futuro, confiadamente se mudó a Hollywood.

Soñaba de la oportunidad de actuar con las grandes estrellas. Si solamente le llegara dicha oportunidad. Mientras tanto, decidió no sentirse mal, ni enojada, ni amargada. No alimentaría sentimientos de envidia. No, no esta mujer. Seguiría adelante con una actitud positiva, una ética de trabajo fuerte, y la fe necesaria para creer en el futuro.

En los años siguientes trabajó duro en la trastienda de Hollywood. Un pequeño papel aquí, otro por allá, pero nada que la lanzara al estrellato. Pero, tenía el tipo de fe que la sostenía. La expresión "me rindo" no figuraba en su vocabulario. Cuando se enfrentaba con un reto, simplemente se mantenía firme y se rehusaba a rendirse.

Con el tiempo, le dieron un papel en una película y finalmente fue descubierta como una actriz con talento genuino. Luego le ofrecieron un programa de radio. Demostró tener una inmensa habilidad para la comedia y su popularidad empezó a crecer.

Después se inventó la televisión. Fue la oportunidad que necesitaba y Lucille Ball se encaminó al estrellato. Sí, todos disfrutamos de ese buen programa llamado "I Love Lucy" (Yo amo a Lucy).

Para Lucille Ball, los años de trabajo duro por fin dieron su fruto. Tenía la fe para creer en el futuro. Surgió del anonimato y llegó al hogar de cada persona. Fue una mujer que se siguió esforzando aun cuando la vida le presentaba grandes dificultades. Lucy venció los obstáculos y obtuvo un éxito enorme.

Amigo mío, Dios tiene un futuro para usted también. Dios tiene un plan para su vida. Jeremías 29:11 le dice una vez más:

Porque yo sé los pensamientos que tengo acerca de vosotros, dice Jehová, pensamientos de paz, y no de mal, para daros el fin que esperáis.

Sí, mire a Dios a través de los ojos de la fe. Confíe en que Él tiene un futuro para usted. Acepte el regalo gratuito de la vida eterna que Jesús le ofrece tan amorosamente hoy. Siga a Cristo y experimente su futuro en el cielo y el poder para vivir en esta tierra.

Sí, la fe cree en el futuro.

Capítulo 43

Nutra su fe y desnutra su miedo

Se ha dicho que somos lo que comemos. Esto ciertamente es verdad en lo físico. Nuestros cuerpos directamente reflejan la clase de comidas que hemos comido. Es casi imposible de ocultar.

También es cierto en el aspecto emocional de nuestra vida. Nosotros reflejamos, por medio de nuestras emociones, lo que hemos estado alimentando a nuestra mente. Si alimentamos nuestra mente con pensamientos positivos, tendremos una disposición positiva. Pero, si nos enfocamos en las ideas negativas o depresivas, nuestras emociones serán depresivas. Nos encontraremos cabizbajos.

Esto también es cierto con respecto a cómo nos alimentamos espiritualmente. Jeremías 15:16 dice:

> *Fueron halladas tus palabras, y yo las comí; y tu palabra me fue por gozo y por alegría de mi corazón; porque tu nombre se invocó sobre mí, oh Jehová Dios de los ejércitos*

Por lo tanto, nutra su fe y desnutra su miedo.

Se ha dicho que cada persona tiene a dos perros viviendo dentro de su cuerpo. Tenemos un perro bueno y un perro malo, y el que uno alimenta es el que crecerá. Podríamos decir que tenemos un perro de fe y un perro de temor viviendo dentro de nosotros. Si alimenta al perro de fe su coraje crecerá. Será energizado y se lo entusiasmará para seguir adelante.

Jesús habló de la importancia de desarrollar una fe que mueve montañas en Mateo 17:20.

Jesús dijo: 'Por vuestra poca fe; porque de cierto os digo, que si tuviereis fe como un grano de mostaza, diréis a este monte: Pásate de aquí allá, y se pasará; y nada os será imposible'.

Esta fe nos da el coraje para enfrentarnos a lo imposible. Sí, grandes cosas pueden pasar cuando uno alimenta la fe y se enfrenta con la montaña.

Pero, a veces sin saber alimentamos al perro de temor. Empezamos a concentrarnos en todo lo que puede salir mal. Miramos al mundo y nos preguntamos si el mal triunfará sobre el bien. ¿Los mejores días habrán pasado y los peores están por venir? Nos hacemos la misma pregunta cuando Merle Haggard entona en su canción "Are the good times really over for good?" (¿Se han terminado los buenos momentos realmente para bien).

En consecuencia, un espíritu de ansiedad empieza a crecer y a desarrollarse. El perro de temor empieza a controlar nuestra vida. Este temor empieza a descontrolarse. Nos sentimos sin esperanzas mientras la preocupación arrasa con nuestro corazón. Nuestra mente está aferrada a la duda y nuestro cuerpo congelado por el temor.

La solución es nutrir la fe y desnutrir el miedo. Jesús quiere asegurar nuestra fe en Él porque Él es la roca de nuestra salvación. La Biblia dice en Salmos 62:6:

Él solamente es mi roca y mi salvación. Es mi refugio, no resbalaré.

Sí, Jesús es la roca que no rueda. Después de todo, cuando sus pies están plantados con firmeza sobre la roca, Jesucristo, entonces allí su corazón será imposible de mover o sacudir. El temor no podrá aferrarse a usted. La fe será su guía y su fuente de poder.

Las Escrituras dicen en 2 Timoteo 1:7: "Porque no nos ha

dado Dios espíritu de cobardía, sino de poder, de amor y de dominio propio". Sí, Dios no le dará un espíritu de temor. Dios lo facultará para avanzar con firmeza. Él llenará su corazón con coraje mientras su fe se concentra en Dios.

David escribió en el Salmo 27:1:

> *Jehová es mi luz y mi salvación; ¿de quién temeré? Jehová es la fortaleza de mi vida; ¿de quién he de atemorizarme?*

David estaba bien calificado para escribir esas palabras. Después de todo, él alimentó su fe y no su temor. Como resultado mató al gigante Goliat. Él siguió adelante por fe y se enfrentó al temor directamente. Su fe le permitió enviar la montaña al mar. Nada fue imposible para David cuando ejerció la fe que mueve montañas.

También me acuerdo de la historia de un hombre que quiso cruzar el rió St. Lawrence en Canadá. Fue en el medio del invierno y el río estaba congelado. Había sido un invierno duro y el clima ártico seguía su curso.

Pero, este hombre todavía tenía miedo de cruzar el río congelado. Él no estaba convencido de que el río estaba congelado completamente. Tal vez no estaba congelado del todo. ¿Qué pasaría si se cayera por el hielo? ¿Qué si èl era demasiado pesado y el hielo no lo podía sostener? Un movimiento en falso le podría costar la vida.

El hombre se arrodilló y puso sus manos sobre el hielo. Lo empujó para ver si el hielo se rompía. Luego gateó sobre el hielo. Él empezó a moverse muy lentamente y con mucho cuidado. Luego, llegó al medio del río. Todavía estaba de rodillas mientras temblaba del miedo.

Su corazón latía con la mera idea de que el hielo se quebrara. Pensó en su esposa y sus hijos. ¿Cómo seguirían ellos si el hielo cediera y él falleciera? Las ideas corrían por su mente sin control mientras el miedo y la ansiedad casi lo apesadumbraban. El hombre sintió como que su corazón latía hasta salírsele del pecho.

Se le cortaba la respiración por el miedo. Empezó a cuestionar su sabiduría por haberse aventurado sobre el hielo. Allí estaba en el medio de un río congelado. Estaba demasiado lejos para regresar y demasiado temeroso para seguir. Estaba literalmente congelado del miedo.

De repente, escuchó un ruido de un carro tirado por caballos que se acercaba. El hombre que lo manejaba se desplazaba rápidamente sobre el hielo congelado. Los caballos galopaban jalando el carro con gran fuerza.

Cuando llegaron al río, los caballos ni siquiera aminoraron la marcha. El conductor hizo sonar el látigo y se siguieron desplazando. El carro pesado y los caballos enormes atravesaron el río congelado. El conductor del carro y el conjunto de caballos gesticulaban mientras cruzaban con audacia el río.

El carro aumentó la velocidad y pasó al hombre que se arrastraba por el hielo. El conductor le gritó que era totalmente seguro cruzar. Él había estado cruzando el río congelado con sus caballos durante varias semanas. El invierno había llegado y el río estaba totalmente congelado como una roca.

Como usted puede ver mi amigo; el hombre se arrastraba con lentitud debido a que alimentaba su miedo. Mientras que le otro se movía con audacia porque alimentaba su fe y no el miedo. Su fe se basaba en una roca sólida. Había probado el hielo y sabía que era confiable. Se desplazaba con confianza y estaba totalmente tranquilo.

Lo mismo se da en nuestra relación con Dios. Podemos arrastrarnos o avanzar con audacia. En ambos casos, Jesús lo sostendrá. La pregunta es sencilla, ¿de qué manera quiere viajar usted?

¿Quiere que la duda y el miedo lo paralicen de ansiedad o quiere confiar en Dios y tener tranquilidad?

La Biblia dice en Hebreos 11:6:

Pero sin fe es imposible agradar a Dios; porque es necesario que el que se acerca a Dios crea que le hay, y que es galardonador de los que le buscan.

Sí, Dios recompensa a aquellos que se acercan a Él por fe. Dios se complace cuando anclamos nuestra fe en Jesús, quien murió y resucitó por nuestros pecados. Dios le dará la confianza necesaria para vivir por fe. Por lo tanto, nutra su fe y desnutra su miedo.

Capítulo 44

Su actitud determina su altitud

Se ha dicho que el éxito no llega como uno piensa que va a llegar; llega por la manera en que uno piensa. Muchas veces, la diferencia entre la victoria y la derrota queda en la actitud. Thomas Jefferson dijo: "Nada puede detener al hombre con la actitud mental correcta para alcanzar a sus metas; nada en la tierra puede ayudar al hombre con la actitud mental incorrecta". Sí es tan cierto, "su actitud determina su altitud".

Sabe, la Biblia da algunos consejos para concentrarse en la vida con una actitud positiva. Filipenses 4:8 dice:

> *Por lo demás, hermanos, todo lo que es verdadero, todo lo honesto, todo lo justo, todo lo puro, todo lo amable, todo lo que es de buen nombre; si hay virtud alguna, si algo digno de alabanza, en esto pensad.*

Sí, Dios quiere que pensemos en cosas buenas y nobles. Esencialmente, Dios esta diciendo que si uno busca lo bueno lo encontrará. Por eso Hebreos 12:2 nos alienta a enfocar nuestra mente en Jesucristo. Las Escrituras dicen:

> *Puestos los ojos en Jesús, el autor y consumador de la fe, el cual por el gozo puesto delante de él sufrió la cruz, menospreciando el oprobio, y se sentó a la diestra del trono de Dios.*

Sí, su actitud hará que su altitud se eleve como el viento mientras enfoque su mente en Jesucristo. Piénselo, el Dios Todopoderoso del universo lo amó tanto que mandó a su Hijo a la cruz por sus pecados. Jesucristo voluntariamente sacrificó su vida para darle vida eterna. Esas, amigo mío, son las buenas noticias que valen la pena meditar.

Otro cosa valiosa de una actitud positiva se encuentra en el hecho que será una bendición para los demás. Proverbios 12:25 dice: "La ansiedad en el corazón del hombre lo deprime; mas la buena palabra lo alegra". Sí, una buena palabra puede levantar a la gente y motivarlas para seguir. Su actitud no solo determinará su propia altitud, sino que también ayudará a que otros suban a nuevas alturas.

Otro beneficio de una actitud positiva se encuentra en el valor de concentrar su pensamiento en la fidelidad de Dios. Esto le dará el poder para perseverar durante los tiempos duros de la vida. Lamentaciones 3:22-24 dice:

> *Por la misericordia de Jehová no hemos sido consumidos, porque nunca decayeron sus misericordias. Nuevas son cada mañana; grande es tu fidelidad. Mi porción es Jehová, dijo mi alma; por tanto, en él esperaré.*

Sí, confíe en Dios y nunca se rinda. Mantenga una actitud mental positiva. Mantenga sus ojos fijos en Dios y rehúsese a dejar que los pensamientos negativos lo invadan. Propóngase saltear cualquier dificultad. Propóngase ser parte de la solución y rehúsese a ser parte del problema. Siga el camino al éxito con una actitud mental positiva. Deje que su actitud determine su altitud.

En 1956, Don Larsen lanzaba para los New York Yankees. El fue considerado un lanzador mediocre, quien ayudó a llevar a su equipo a la Serie Mundial contra los Brooklyn Dodgers. Fue una rivalidad feroz.

En la segunda entrada del segundo juego los bateadores de los Dodgers explotaron. Ellos literalmente lo bajaron a Larsen del monte en dos entradas. Larsen quemó un adelanto de seis puntos que tenían los Yankees en tan solo dos entradas. Los Dodgers ganaron el juego, pero el lanzador Yankee no quiso deprimirse.

Cuatros días después le correspondía volver a lanzar. Debido a la falta de éxito en el lanzamiento de Larsen, la mayoría de la gente creía que el administrador tendría que empezar con alguien diferente. La broma acerca de Larsen era: "La única diferencia entre Larsen y el Titanic es que al Titanic le llevó mas tiempo hundirse".

Mucha gente pensaba que tendrían que sacar a Larsen del equipo. Sin embargo, Larsen los hizo cambiar de idea a estos escépticos, el 8 de octubre de 1956, en el quinto juego de la Serie Mundial. Casey Stengel, lo suficientemente asombrado, permitió que Don Larsen se quedara. El administrador le dijo a Larsen el día anterior que comenzaría en el juego cinco de la Serie Mundial.

Don Larsen le respondió con una sencilla declaración de confianza. Dijo: "Voy a vencer a esos muchachos mañana". Lo que sucedió luego se convirtió en historia en el béisbol. Don Larsen logró lo que nunca antes había podido lograr en una Serie Mundial. ¡Lanzó el juego perfecto! ¡Logró lo que se consideraba imposible!

Sin embargo, Don Larsen logró lo que nunca nadie había hecho antes en la Serie Mundial. Se enfrentó a 27 bateadores y venció a su oponente 27 veces consecutivas. Nadie llegó a la primera base. Fue la máxima demostración de destreza en la historia del béisbol.

El estadio de los Yankees tenía 64.519 aficionados que vieron ocurrir un milagro. Al cumplirse la salida final, Yogui Berra salió disparado hacia el montículo y saltó a los brazos de Don Larsen. Todo el estadio estalló con la celebración de los aficionados.

Piénselo, hacía unos cuatro días, a Larsen lo habían sacado

del montículo en dos entradas. Ahora había logrado lo que ningún otro lanzador de la liga mayor consiguió antes. Don Larsen superó todas las probabilidades al pasar a la historia como lanzador del juego perfecto en el campeonato de la Serie Mundial. Sí, su actitud determinó su altitud.

Mi amigo o amiga, ¿cuáles son sus sueños? ¿Cuáles son las metas que los demás creen que son imposibles? Permítame que lo anime a alimentar su mente con la Palabra de Dios y a rodearse de gente positiva; Esto lo ayudará a desarrollar su fe y le dará la confianza que necesita para lograrlo!

Capítulo 45

La luz indicadora

Básicamente, tenemos dos opciones en la vida. Podemos vivir de acuerdo a nuestros instintos humanos o podemos seguir las enseñanzas de Jesús y de la palabra de Dios. Salmos 119:105 dice:

Lámpara es a mis pies tu palabra, y lumbrera a mi camino.

Dios dice que su Palabra nos dará la luz que iluminará el camino de la vida. Jesús nos ofrece ser nuestra guía y mostrarnos la manera de guiarnos a la vida eterna. Sí, la Biblia es una luz que nos guía.

Recuerdo cuando yo era un niño e íbamos a Wyandotte Cave. Eran nuestras vacaciones en familia y todos estábamos muy entusiasmados. Partíamos temprano el sábado a la mañana y nos dirigíamos al sur de Indiana. Toda la familia se subía al auto y salíamos. Era el tipo de fin de semana que toda la familia luego recordaría. Era bastante extraño salir de vacaciones así que todos anhelaban el momento con anticipación.

Una vez que llegábamos a Wyandotte Cave, nos anotábamos en una de las excursiones por la caverna. Teníamos un guía turístico que tenía una lámpara para seguir el camino. Lo recuerdo como su hubiera sido ayer y tan solo tenía cinco o seis años. Visitar la caverna era una aventura apasionante. Mi imaginación desbordaba dentro de esa caverna.

En cierto momento, el guía apagó la luz y nos mostró cómo era realmente la caverna. No podíamos ver ni nuestras propias manos. Todo era realmente negro. Me alegré cuando el guía prendió la lámpara y salimos de la caverna. Nos habríamos quedado totalmente a oscuras y desvalidos de no haber sido por nuestro guía y su lámpara. Él realmente era nuestra "luz guía"

Por eso Dios nos dio su Palabra. "Lámpara es a mis pies tu palabra y lumbrera a mi camino". En otras palabras, la Biblia nos alumbra para que andemos por este mundo oscuro. Sí, la vida sin Dios es una vida de oscuridad. Sin embargo, la vida con la guía de la Palabra de Dios nos da significado y propósito.

El tema de todo el Salmo 119 es la Palabra de Dios. En realidad, vemos varias cosas que la Palabra de Dios obrará en usted a medida que sea "lumbrera a su camino". Descubrimos que nos limpia de pecados. Salmos 119:9 dice:

> *¿Con qué limpiará el joven su camino? Con guardar tu palabra.*

También lo protegerá de caer en pecado. Salmos 119:11 dice:

> *En mi corazón he guardado tus dichos, para no pecar contra ti.*

Sí, la Biblia lo instruirá con respecto a lo que está "bien" y lo que está "mal". El propósito de la instrucción es ayudarlo a evitar que se equivoque en la vida y que esto le cause pena y dolor. Después de todo, Dios sabe que es lo mejor para usted y siempre lo guiará en la dirección correcta.

Luego, verá que la Escritura fortalecerá su vida. Salmos 119:28 dice:

> *Se deshace mi alma de ansiedad; susténtame según tu palabra.*

Sí, algunas veces necesitamos fortalecernos en nuestro andar. Necesitamos renovar una dosis de fuerzas para vivir. Bien, esta fortaleza la encontramos en la Palabra de Dios.

La Escritura también dice que le da vida. Salmos 119:50 dice:

Ella es mi consuelo en mi aflicción, porque tu dicho me ha vivificado.

Sí, el amor de Dios que fluye de la palabra de Dios le ofrecerá salud y sanidad a su alma. Jesús dijo en Juan 6:63 que "las palabras que yo os he hablado son espíritu y son vida".

Mi amigo, la Palabra de Dios tiene un valor incalculable para su vida. Salmos 119:72 dice:

Mejor me es la ley de tu boca que millares de oro y plata.

Sí, la Palabra de Dios es extremadamente valiosa porque le demuestra, más que enseñarle, cómo sobrevivir. La Escritura le muestra cómo vivir. Después de todo, la Biblia no es un reglamento que pretende convertirlo en un miserable, es un mapa que le marca el camino hacia el éxito.

La Escritura es indestructible porque es eterna. Salmos 119:89 dice:

Para siempre, oh Jehová, permanece tu palabra en los cielos.

Como dice un viejo dicho: "Dios le dijo, yo lo creo y esto es todo lo que cuenta para mí". Sí, la Biblia es la eterna palabra de un Dios eterno.

La Biblia tiene una continuidad sorprendente. La Biblia es una colección de 66 libros escritos en un período de 1600 años por 40 escritores diferentes de diversos entornos socioculturales y épocas, pero aun así la Biblia tiene un tema central, Jesucristo. Por eso mi amigo este es un libro del cual usted puede depender.

La Palabra de Dios es también nuestro deleite, según lo expresa el Salmo 119:92. De hecho, al profeta Jeremías se lo conoce como el "profeta llorón". Él se enfrentó a muchos desafíos y pruebas. Su vida estuvo llena de desasosiegos y desilusiones. Sí, Jeremías 15:16 dice refiriéndose a la Palabra de Dios: "tu palabra me fue por gozo y por alegría de mi corazón". Sí, usted puede hallar gozo en la palabra de Dios.

Por último, pero no por eso menos importante, sabemos que la Biblia es la verdad. Salmos 119:160 dice:

La suma de tu palabra es verdad, y eterno es todo juicio de tu justicia.

Sí, la Biblia es verdad de punta a punta. Después de todo, es la inspirada y divina Palabra del Dios viviente. Mi amigo, Dios no inspiró un libro de fábulas. Es la verdad la que edifica su vida. La Biblia es la verdad eterna, lo cual hace que sea de relevancia para cada generación. Por eso usted puede confiar en que la Palabra de Dios sea la luz que lo guíe.

De la misma manera que mis padres me llevaron de excursión a las cavernas de Wyandotte, nosotros también llevamos a nuestros hijos. Cindi y yo tuvimos el placer de ir con nuestros cuatro hijos cuando eran pequeños. Habían pasado 30 años desde que fui, pero la excursión seguía siendo la misma. La caverna era tan oscura como antes cuando se apagaba la luz. Nada había cambiado. Por fortuna, la luz era tan brillante como antes también.

La misma verdad se aplica a la Palabra de Dios. El mundo puede parecer oscuro, pero la Palabra de Dios es la "lumbrera en el camino" para cada una de las generaciones. La Biblia es la eterna verdad y es de suma importancia para cada generación.

Sí, la Palabra de Dios es "lámpara es a mis pies tu palabra y lumbrera a mi camino". De la misma manera que nosotros tuvimos un guía que nos llevó a la caverna en Wyandotte con una luz que nos mostraba el camino, la Biblia es la guía que nos dirige a Jesús y nos guía en nuestra vida en la tierra. No se quede en la oscuridad. Siga a Jesús y permita que su palabra sea la luz que lo guíe.

Capítulo 46

Jesús es el cimiento en la roca firme

La fe en Jesucristo implica edificar su vida sobre tierra firme. Jesús dijo en Mateo 7:24-27:

Cualquiera, pues, que me oye estas palabras, y las hace, le compararé a un hombre prudente, que edificó su casa sobre la roca. Descendió lluvia, y vinieron ríos, y soplaron vientos, y golpearon contra aquella casa; y no cayó, porque estaba fundada sobre la roca. Pero todo el que me oye estas palabras y no las pone en práctica es como un hombre insensato que construyó su casa sobre la arena. Cayeron las lluvias, crecieron los ríos, y soplaron los vientos y azotaron aquella casa, y ésta se derrumbó, y grande fue su ruina.

Jesús es el cimiento en la roca firme.

Yo me acuerdo de uno de mis libros favoritos de niño. Se llamaba *Toby y su casa en la playa.* Mi tía Elma me lo regaló. Ella era una mujer que siempre oraba por sus sobrinos. Cada año nos enviaba un libro, con valores espirituales, como regalo de cumpleaños.

Este libro trataba de un niño que quiso construir una casa para jugar en la playa. Pero, la marea alta se la llevaba cada noche.

Finalmente, él fue a visitar a su tío y le explicó el problema. Su tío le mostró cómo construir el cimiento para la casa. Así la casa resistiría la marea. El tío sabio también nos explicó como nosotros debemos construir nuestra vida en Cristo. Esto mantendrá a nuestra vida firme contra las tormentas de la vida. Las olas y problemas de la vida golpearan a Cristo y Él nos ayudará en las dificultades.

Jesús es el cimiento en la roca firme. Él nos dice que si escuchamos sus enseñanzas y las seguimos, seremos sabios. Pero, la persona imprudente ignora las enseñanzas de Cristo y hace lo suyo. La persona imprudente tiene la actitud de "viviré mi vida a mi manera". Pero, cuando las tormentas de la vida empiezan a soplar, la casa sobre la arena se viene abajo.

Hay similitudes y diferencias entre los constructores. Ambos construyeron sus casas porque querían un lugar para refugiarse. Ambos oyeron la instrucción de la Palabra de Dios. Sin embargo, uno oyó la Palabra de Dios y la obedeció, pero el otro oyó la Palabra y la ignoró. En consecuencia, uno tenía un cimiento para sostener su vida y pasar las pruebas. Pero, el otro no tuvo la estabilidad para sobrevivir a las tormentas de la vida.

Nuestro Señor enseña la importancia de obedecer la Palabra de Dios. Entonces, Dios incluye una promesa para aquellos que eligen seguir las enseñanzas de Cristo. Dios dice que tendremos un cimiento para nuestra fe. Tendremos algo donde construir nuestra vida. Este cimiento es una persona. Jesús es el cimiento en la roca firme.

Sabe, como crecí en la casa de un albañil aprendí sobre la importancia de un buen cimiento. Mi padre era un albañil y todos los veranos mis hermanos y yo trabajábamos para él. Nosotros mezclábamos el cemento, llevábamos ladrillos, lijábamos las juntas y armábamos los andamios. Nuestro trabajo era darle a mi papá y su equipo de albañiles un suministro constante de ladrillos y cemento.

Me acuerdo cuán frustrado se ponía mi papá cuando la base de concreto estaba mal hecha. Eso le hacía su trabajo más difícil. El cimiento era crucial para construir una casa apropiadamente. Había que trabajar más si el cimiento era defectuoso.

Pero, cuando estaba bien hecho, los ladrillos para levantar la pared, se colocaban con facilidad. Los hombres podían encaminar el proyecto más rápido y seguramente mejor. La atmósfera del trabajo siempre era mejor cuando el cimiento estaba hecho correctamente.

Lo mismo sucede en la vida. Jesús quiere que nuestra vida tenga una base sólida. Él quiere construir nuestra vida sobre la Palabra de Dios y la fe en Cristo. Él quiere que demostremos nuestra fe obedeciendo al Señor. Esto hará que nuestra relación con Cristo se fortalezca. Cuando los problemas lleguen, y seguro van a llegar, Jesús nos sostendriá y Él actuará como el cimiento sobre "la roca firme".

Es interesante notar que también hay similitudes y diferencias entre los edificios en este pasaje también. Ambas casas se ven iguales. Ambas casas se enfrentan con una tormenta. Pero, había una diferencia clave. Una casa tenía cimientos pero la otra no. Por lo tanto, una casa se mantuvo en pie mientras que la otra se vino abajo.

Entienda amigo mío; no es cuestión si vamos a tener problemas. La pregunta es: "¿A quién o qué buscaremos para enfrentar un problema? ¿Dependeremos en nuestra propia sabiduría o buscaremos a Jesucristo? ¿Dependeremos de la Palabra del Dios viviente o simplemente sobreviviremos gracias a nuestro propio ingenio?"

Jesús es el cimiento en la roca firme. Efesios 2:20 lo llama "la piedra angular". Sí, la Escritura es clara, Jesús es la única base segura que puede sostener nuestra vida. Nada lo podrá sacudir a usted si construye su vida en Cristo.

En consecuencia, vemos la mayor división. Una casa resiste la presión. Esta casa tiene el cimiento en la roca firme de la fe en Jesucristo. Esta casa no se cae porque está construida sobre la

Roca. La tormenta golpea contra la Roca. Entonces, Jesús protege a esta persona del peligro.

Pero, la otra vida está construida sobre arena débil. Una vez que la tormenta golpee, esta persona se derrumbará. Esta es la vida sin Cristo y sin la dirección de la Palabra de Dios. Con el tiempo, llegará a una división y se romperá porque la presión simplemente es demasiada.

Amigo mío, tenemos que tomar nota de algo. Tenemos que entender que Dios usa las tormentas y los desafíos para revelar nuestra base o la falta de una. La adversidad revelará si nuestra fe está anclada a Cristo o se está dejando llevar por la corriente del mar. Muchas veces, se necesita presión para demostrar de qué estamos hechos. Después de todo, una crisis no moldea nuestra personalidad simplemente la revela. Si construimos nuestra fe sobre Jesucristo y obedecemos la Palabra de Dios, resistiremos la presión.

Pero, sin importar cuanto pueda parecer que nosotros lo tenemos todo bajo control, si nosotros no estamos construyendo nuestra vida sobre Cristo, con el tiempo se revelará. Cuando llegue una tormenta suficientemente fuerte y empiece a soplar, su vida se vendrá abajo si usted no tiene un cimiento apropiado. La presión será demasiada y lo perjudicará. La apariencia de nuestra vida se despegará y quedará expuesto lo que verdaderamente somos.

Me acuerdo de la historia del Dr. Joseph Parker. Él proclamaba la Palabra de Dios fielmente por años mientras pastoreaba la histórica ciudad de Temple en Londres. Muchísimos hombres y mujeres conocieron a Cristo mediante su predicación bíblica.

Pero, él empezó a escuchar a teólogos liberales que negaban la Palabra de Dios. Decían que la Biblia ya no era importante. La gente estaba adquiriendo maneras de pensar más modernas.

El Dr. Parker empezó a interactuar con estos hombres en

varias conferencias. Estos hombres menoscababan la predicación de la Palabra de Dios. Con el tiempo, la influencia de estos hombres empezó a afectarlo. Comenzó a dudar de la Palabra de Dios y su fe empezó a decaer. En consecuencia, su predicación empezó a tomar una dimensión diferente con menos contenido bíblico y más "pensamiento moderno".

Luego, su querida esposa de muchos años se enfermó y murió. Su corazón quedó destrozado. Era un hombre consumido por el dolor. Buscó consuelo en la teología moderna. Pero, no encontró consuelo en una Biblia destrozada por las ideas del pensamiento moderno y de un Dios sin poder de teología moderna.

El viejo predicador volvió después al evangelio de redención por la sangre de Cristo. Regresó al mensaje de la muerte, entierro y resurrección de Cristo por nuestros pecados. Plantó sus pies firmemente sobre la Palabra de Dios y redescubrió la roca firme. Dijo: "Él moriría descansando sobre la gloriosa verdad de salvación por la sangre preciosa de Cristo".

Mi amigo o amiga, siga a Cristo y construya su vida sobre la Palabra de Dios. Después de todo, no puede desmoronarse porque tendrá un cimiento que resistirá todas las tormentas de la vida y tendrá la fuerza para perseverar en los desafíos de la vida. Jesús es el cimiento en la roca firme.

Capítulo 47

Creer es ver

Algunos dicen: "Lo creeré cuando lo vea". En otras palabras, para ellos: "ver es creer". A ellos les gusta que algo se compruebe en vez de aceptar algo por fe. Después de todo, no quieren parecer unos tontos. La Biblia dice en Hebreos 11:1:

Es, pues, la fe la certeza de lo que se espera, la convicción de lo que no se ve.

Sí, la persona de fe entiende que creer es ver.

De hecho, algunas veces necesitamos creer para poder ver. Por ejemplo, hace varios años una casa se incendió en una pequeña comunidad agrícola del medio este. La casa era de dos plantas y pertenecía a una familia joven. Las llamas barrieron la casa mientras la familia buscaba un lugar seguro.

Encontraron el camino dentro de la casa llena de humo y se reunieron en el patio de adelante. El corazón de los padres se estremeció al darse cuenta de que su hijo, de cinco años, todavía estaba atrapado dentro del edificio en llamas. El padre miró hacia arriba y vio a su hijo llorando desde la ventana de su dormitorio. El niño se estaba frotando los ojos y pidiendo ayuda.

El padre sabía que no podía volver a entrar a la casa ni sobrevivir en las llamas. El humo salía de la casa mientras se el tiempo se agotaba. El padre se paró en el suelo debajo de la ventana y le gritó al niño que saltara. El padre desesperadamente le imploró para que saltara. Exclamó con todas sus fuerzas: "¡Salta hijo! Yo te agarraré".

El niñito estaba llorando y el temor lo paralizaba. Se quedó parado allí, congelado del miedo. El padre gritó otra vez implorando frenéticamente: "¡Salta hijo! Te prometo que te agarraré". El niñito dijo en llantos "pero no te puedo ver papi". El padre respondió con gran seguridad: "No, tú no puedes, pero yo sí te puedo ver a ti. Por favor salta y yo te agarraré hijo".

Finalmente, el niñito saltó y su padre lo agarró. El niño estaba a salvo en los brazos de su padre. Una vez que él saltó, su papá lo agarró tal como había prometido. El niñito tuvo que creer para poder ver. Él confió en su padre aunque no lo podía ver debido al humo y el fuego. El niño creyó en las palabras de su padre y dio un "salto de fe". El resultado fue estar a salvos en los brazos fuertes y amorosos de su padre.

Amigo mío, en cierta manera nuestra relación con Dios es un "salto de fe" calculado. No podemos entender todo lo que hay para saber acerca de Dios. Pero, debemos confiar en su Palabra y saltar a los brazos de Dios. La buena noticia es que de hecho Dios siempre está allí para protegernos.

Sabe, Jesús ofrece una bendición especial a los que "no han visto y aun así creído" Después que nuestro Señor resucitó de la muerte, Él se le apareció a los discípulos. Pero, Tomás no estaba presente en el momento de la reaparición de Cristo. En consecuencia, Tomás se rehusó a creer que Jesús había resucitado de la muerte. Tomás les dijo a los otros discípulos que "al menos que él viera la marca de los clavos en sus manos, y las tocara, y pusiera su mano sobre el costado de Jesús, no creería".

Tomás estaba diciendo que para él, ver sería creer. Él se rehusó a creer al menos que viera al Señor con sus propios ojos y lo tocara con sus propias manos. En otras palabras, compruébamelo y yo lo creeré. Después de un tiempo, Jesús se le apareció a Tomás y él dejó de ser un incrédulo para convertirse en un creyente.

Amigo mío, creer es ver. Salmos 119:18 dice:

Ábreme los ojos, para que contemple las maravillas de tu ley.

Sí, Dios se revelará en una manera maravillosa a los que creen en Él y confían en su Palabra. De hecho, se ha dicho que "una Biblia que se esta desarmando generalmente pertenece a una persona que no".

Mi amigo o amiga, nosotros vivimos en un mundo cínico y escéptico. Desgraciadamente, muchos creen que la Palabra de Dios ya no es pertinente hoy día. La cultura moderna dice que queremos ideas nuevas y valores nuevos. No queremos que estos valores morales absolutos gobiernen nuestra vida.

Muchas veces, la gente dice que los valores de antaño ya no se aplican a nuestra vida hoy. Algunos dicen que creerían si se pudiera comprobar que Jesús es el Hijo de Dios eterno y que las Escrituras son la verdadera Palabra de Dios. Para estas personas: "Ver es creer".

Pero, Dios nos responde diciendo: "Creer es ver". Es solo después que ponemos nuestra fe en Cristo como Señor y Salvador que podemos ver la belleza de una relación con Cristo. Una vez que aceptamos por fe la muerte, la sepultura y la resurrección de Cristo como sacrificio por nuestros pecados, empezamos a descubrir las increíbles promesas que Dios tiene para nosotros.

Nuestros ojos se abren a la Escritura y podemos entender verdades espirituales como nunca antes. Nosotros aprendemos la realidad de las palabras de Jesús cuando dijo en Juan 8:32: "y conocerán la verdad, y la verdad los hará libres". Eso también es porque Jesús dijo en Juan 8:36: "Así que si el Hijo los libera, serán ustedes verdaderamente libres".

Jesús dijo que somos bendecidos los que no hemos visto y aun así hemos creído. Continuó diciendo en Juan 20:31: "Pero éstas se han escrito para que ustedes crean que Jesús es el Cristo, el Hijo de Dios, y para que al creer en su nombre tengan vida".

En otras palabras, Dios nos ha dado suficiente conocimiento para creer en Cristo. Sufrió en la cruz por nuestros pecados. Él dio su vida como sacrificio por nuestros pecados. Él derramó Su sangre en la cruz para pagar completamente el precio de nuestros pecados. Jesús se levantó de la muerte como la prueba viviente de su victoria sobre la muerte, Satanás y el infierno mismo. En consecuencia, la fe en Cristo nos permite experimentar una relación personal con Dios.

Se puede sentir que está atrapado dentro de su propio fuego personal de presión y el dolor de las circunstancias desalentadoras. Puede tener un deseo de creer en Dios y aun así preguntarse si Él realmente se preocupa por usted.

Sí, Jesús se preocupa por usted. Sus brazos están abiertos para que usted salte de su ventana de duda. Jesús está esperando y lo atajará cuando usted dé su "salto de fe". Encontrará seguridad y consuelo en los brazos fuertes de Jesús. Descubrirá que creer es ver.

Capítulo 48

Elija su riqueza de manera sabia

¿Cómo usted determina sus riquezas? ¿Simplemente mira su cuenta bancaria? ¿Son las posesiones materiales y el dinero lo que lo hacen trabajar? Hay personas que tienen un deseo tan grande por la riqueza monetaria que están dispuestos a sacrificar sus valores para salir adelante. Pero, usted debe aprender a: elegir sus riquezas sabiamente.

George Washington dijo esto: "Pocos hombres tienen la virtud de resistir a la mejor oferta". En otras palabras, la mayoría de la gente tiene su precio. Si la oferta es suficientemente alta, con el tiempo sacrificaran sus principios para aumentar el pago.

Pero, Jesús dijo en Marcos 8:36:

¿De qué sirve ganar el mundo entero si se pierde la vida?

Sí, todos deben contestar la pregunta que hace el Señor. Después de todo, ¿qué bien te hará tener todas las cosas que el dinero pudiera comprar, y aun así perder tu alma? Bueno, esto es ser sabio terrenalmente y ser idiota eternalmente.

Jesús continuó diciendo en Marcos 8:37:

¿O qué recompensa dará el hombre por su alma?

En otras palabras, si buscamos la vida sin tener en mente nuestra relación con Dios, hacemos un intercambio tonto. Este intercambio es poco sabio para cualquiera.

Sí, Jesús hizo la pregunta más importante en el mundo. "¿De qué sirve ganar el mundo entero si se pierde la vida?" "¿O qué recompensa dará el hombre por su alma?" En otras palabras, elija su riqueza sabiamente.

Sabe, me acuerdo de uno de los mejores jugadores de básquetbol de todos los tiempos. Se llamaba David Thompson. Su talento era comparable a los de los grandes jugadores como Kareem Abdul Jabbar, Larry Bird, Wilt Chamberlain, Magic Jonhson y Michael Jordan. Sí, David Thompson tenía esa clase de talento.

Su habilidad para saltar era fuera de serie. Podía saltar en alto unas 42 pulgadas, o sea más de un metro. Aunque solo medía 6' 4"(1,93 m), fue el jugador con el mejor rebate. Podía poner una moneda sobre el tablero y saltar para alcanzarla. Su habilidad para brincar era asombrosa. Lo llamaban Sky Walker (peatón del cielo). De hecho, ya podía colgarse del aro cuando estaba en el octavo grado de la escuela y solo medía 5' 8" (1,47 m). ¡No hay duda del porqué se convirtió en superestrella!

David Thompson fue a North Carolina y jugó básquetbol para la universidad. En el torneo la NCAA de 1974 los North Carolina State Wolfpack fueron los primeros y los UCLA Bruins los segundos. Incidentalmente, la única perdida que sufrió North Carolina State fue durante la temporada donde perdieron contra UCLA con un puntaje de 84-66.

La revancha con UCLA fue preparada para los últimos cuatro. Se determinó la fecha del enfrentamiento entre David Thompson y jugadores como Keith Wilks y Bill Walton. Thompson llevó a su equipo a una victoria de 80-77. ¡Luego le ganaron a los Marquette y fueron campeones nacionales!

Después, David fue contratado para jugar con los profesionales. Dos veces fue elegido como primer equipo de All Star. Lo nombraron el jugador más valioso de la NBA en 1979. Había sido el jugador universitario del año en 1975, y después de solo cuatro años lo nombraron el jugador del año de la NBA. Una vez anotó 73 puntos contra los Pistons de Detroit. Fue un logro que todavía se recuerda hasta hoy. David Thompson estaba en camino a ser estrella. ¡Lo tenía todo!

Pero, los malos hábitos empezaron a salir a la luz. Sus problemas con el alcohol se iban fuera de control. Con el tiempo, se hizo adicto a drogas como la cocaína, lo cual empezó a destruir su vida. Las excusas empezaron a ser demasiadas cuando se ausentaba en las practicas y hasta en los juegos.

Con el tiempo, durante un viaje a Nueva York, un desastre ocurriría. Después de un juego, fue a Studio 54 con unos de sus amigos. David estaba festejando en el club, y su carrera se vendría abajo. Fue empujado por unos escalones y sufrió una herida en su rodilla que terminaría su carrera. Aunque fue uno de los mejores jugadores de básquetbol, su carrera terminó abruptamente por sus decisiones poco sabias.

Thompson quedó devastado. Luego, el IRS (Servicio de Rentas Interno) comenzó a investigar sobre unas malas inversiones. Le confiscaron su casa de medio-millón de dólares en Denver, su condominio en Seattle, su Rolls Royce, su Porsche y su Mercedes.

La desilusión fue demasiada. La presión también afectó su vida en el hogar y todo empezó a venirse abajo. Con el tiempo, David Thompson fue a la quiebra y perdió toda su riqueza y fama. De hecho, estuvo en la cárcel por seis meses.

Pero, lo que fue un desastre en la tierra terminó siendo un milagro celestial. David Thompson entregó su vida a Cristo mientras estaba en la cárcel. Él clamó a Dios e invitó a Cristo a su vida como Señor y Salvador.

Dios enmendó la vida y el matrimonio de David. Él terminó siendo el director de programas juveniles para los Charlotte Hornets. Esto fue lo que dijo: "He aprendido que el Señor Jesucristo siempre debe ser la prioridad. Ya no tengo más las riquezas y la fama que una vez tuve, pero mi vida es mucho más rica ahora de lo que fue antes porque tengo a Cristo”. En otras palabras, David Thompson ha redescubierto la riqueza verdadera de la vida.

Mi amigo o amiga, Jesús lo ama hoy a usted. Él murió en la cruz y resucitó al tercer día para probar que su sacrificio en la cruz cumplía con la voluntad de Dios el Padre. Ahora, Jesús ofrece a usted el regalo gratuito de la vida eterna a quien crea. Y le hace esta pregunta: “¿De qué sirve ganar el mundo entero si se pierde la vida?” Sí, elija sus riquezas sabiamente.

Capítulo 49

Jesús le ofrece una vida extraordinaria

¿Cuál es tu perspectiva acerca de la vida Cristiana? Mucha gente tiene la idea de que al ser cristianos, Dios hará que tengan una vida desgraciada. Debo confesar que algunos cristianos no promocionan la fe de manera positiva. Demasiada gente anda por allí lamentándose "solamente estoy sufriendo por Jesús". ¡Agregue un espíritu negativo y crítico y tienen un gran ganador! Ay, no hay duda de por qué algunas personas se alejan de la fe.

Pero, Jesús le ofrece una vida extraordinaria. Después de todo, en Juan 10:10 Jesús dijo:

El ladrón no viene sino para hurtar y matar y destruir; yo he venido para que tengan vida, y para que la tengan en abundancia.

Sí, Jesús ofrece una vida abundante y significativa. Jesús dijo que Él había venido para que tuviéramos vida y vida en abundancia.

La palabra "abundancia" en Juan 10:10 tiene mucho significado para el creyente. La palabra da la idea de lo que supera a una simple existencia. Es la idea de experimentar más allá de una vida normal. Es una vida llena de gozo inexplicable. Aún en el medio de las pruebas, hay gozo en conocer a Jesús.

Tome nota de cómo Jesús lo llama al diablo Juan 10:10. Le dice "ladrón". A nadie le gusta un ladrón. Un ladrón es motivado por sus propias intenciones egoístas y no le importa nada más que él mismo. Un ladrón puede entrar a una casa y llevarse los tesoros preciosos de la gente y nunca perder ni un minuto de sueño. Sí, un ladrón no tiene conciencia.

Amigo mío, el diablo mismo quiere robarle a usted la buena vida. Quiere que se mantenga dominado por la inseguridad y el miedo. Quiere que viva una vida de temor en lugar a una vida de fe. Al diablo le encanta invadir su mente con una actitud negativa.

Sí, así es como opera el diablo. A él no le importa usted. A él no le importa el futuro que usted tenga. No le importa si malgasta su vida. De hecho, él quiere robarle los sueños y las metas que usted tiene. Quiere robarle la felicidad. Quiere quitarle todo verdadero gozo.

Jesús, por el contrario, quiere darle cosas buenas. Él le ofrece una vida valiosa y con propósito. Él le dará una vida que sobrepase a cualquier cosa que pueda imaginarse. Sí, Jesús le ofrece una vida extraordinaria.

Amigo mío, antes de confiar en Cristo como Salvador, yo pensaba que la vida cristiana sería en experiencia triste. Dudaba de seguir a Cristo por el temor a que la vida fuera insulsa y aburrida. Ir al cielo me parecía bueno, pero la vida en la tierra no me parecía muy interesante. Pero, nada podría estar más lejos de la verdad.

He descubierto que Jesús nos da una vida estupenda. Dios ha bendecido mi vida de muchas maneras. Él me ha dado una familia maravillosa. Mi esposa, Cindi, y nuestros cuatro hijos realmente son un regalo de Dios.

Creo que el Señor nos unió con el propósito de experimentar la vida abundante que ofrece Jesús. Su influencia me ha ayudado a descubrir el verdadero gozo y la felicidad en la vida. Ella me ha enseñado a celebrar la bondad de Dios y sus muchas bendiciones en nuestra familia. Ella ha equilibrado mi vida y me enseñó a disfrutar de nuestros logros.

Una de las cosas especiales que ella hace para ayudar a nuestra familia a celebrar la bondad de Dios es "preparar su galardonador plato azul". Cindi frecuentemente prepara un plato azul especial en la mesa para la cena en honor a uno de los miembros de la familia. A la persona que tiene el plato azul se la destaca y reconoce por un logro en particular.

Hemos celebrado muchus clases de eventos especiales como: triunfos atléticos, logros académicos, cumpleaños, aniversario, día de la madre, día del padre, etc. También incluimos la celebración de "eventos espirituales" para reforzar a valores espirituales. Hasta reconocemos las cualidades que ayudan a desarrollar "una actitud ganadora" en nuestra familia.

Es un toque amoroso que le agrega una dimensión muy positiva a las ocasiones especiales. Crea una autoestima positiva cuando ella ayuda a que cada miembro de la familia se sienta especial. También ayuda a todos a celebrar las bendiciones de Dios en nuestra familia entera cuando honramos a cada individuo.

De verdad puedo decir que le doy gracias a Dios por la vida estupenda que Él nos ha dado juntos. Soy feliz al descubrir que la fe cristiana es una experiencia positiva, llena de un gozo interior que solo Dios puede proveer. Sí, Jesús vino a esta tierra para darnos una vida estupenda cuando lo seguimos.

Mi amigo o amiga, Jesús le ofrece una vida abundante también. El enemigo quiere robarle los sueños y las metas que usted tiene. Pero, Jesús le dará la sabiduría para ir más allá de sus más grandes sueños. Él murió y resucitó para ser su Señor y Salvador personal. Él ofrece vivir en usted para fortalecer su vida. Sí, Jesús le ofrece una vida extraordinaria.

CAPÍTULO 50

¡SI LO CREE, LO RECIBIRÁ!

Tal vez usted habrá oído la frase de motivación: "Crea y lo logrará". Hay un gran concepto en esa idea. Es cierto que muchas veces conseguimos cosas en la vida si realmente creemos que lo podemos lograr. Jesús dijo en Marcos 9:23:

Si puedes creer, al que cree todo le es posible.

Sí, la mente humana es la gran clave para poder lograr grandes cosas. Confío en que usted tiene metas grandes hoy día. Espero que su vida esté llena de entusiasmo y energía provenientes de un pensamiento positivo. Espero que esté motivado por el poder de un sueño.

Pero, veamos esto de otra perspectiva ahora. Consideramos la frase viviente: "Créalo y lo recibirá" Dios extiende su mano de amor sobre toda la humanidad con el regalo más precioso de todo. Ahora, Dios le ofrece el regalo gratuito de la vida eterna a quien crea. Dios dice en Juan 3:16:

Porque de tal manera amó Dios al mundo, que ha dado a su Hijo unigénito, para que todo aquel que en él cree, no se pierda, mas tenga vida eterna.

Sí, mi amigo, Dios lo ama a usted hoy. De hecho, Él lo ama tanto que dio a su único Hijo para morir en la cruz por usted. Jesús fue a la cruz y pagó el precio por nuestros pecados. Cristo murió y resucitó para ofrecer el regalo gratis de la vida eterna. La fe en Cristo borra completamente nuestra deuda de pecado para Dios.

Fe en el Nuevo Testamento significa dos cosas. Primero, la

aceptación de los hechos. Eso sería la confianza completa en Jesús como el Hijo eterno de Dios. Jesús es el que dejó el cielo y vino a esta tierra. Su nacimiento fue sobrenatural y su vida fue perfecta, completamente sin pecado. Él fue a la cruz y dio su vida en sacrificio por nuestros pecados. Jesús murió como nuestro suplente pagando Él el precio por nuestros pecados. Él se levantó nuevamente al tercer día. La resurrección de Cristo coms stros pecados.

Confío en que usted cree en los hechos del evangelio relativos a la muerte, el entierro y la resurrección de Cristo. Pero, ese solo es el primer paso a la fe que salva. Luego, debemos poner nuestra confianza en Cristo como Señor y Salvador. Este mueve nuestra fe de la mente al corazón. Esto lleva nuestra fe de lo formal a lo personal. Debemos confiar completamente en Cristo y solo en Cristo para tener vida eterna.

Una de las mejores ilustraciones de la fe que salva se encuentra en la historia legendaria de Charles Blondin. Parece que en 1858, Charles Blondin, anunció que cruzaría las cataratas del Niágara sobre una cuerda floja. Proclamó que caminaría sobre las cataratas usando solamente una barra de 40 libras (18 kg) para mantener el equilibrio. Charles Blondin fue considerado el caminador más grande de cuerda floja en el mundo y este sería su reto más grande. La fecha fue programada para el 30 de junio de 1858.

Bueno, como ya se puede imaginar, las noticias del anuncio de Blondin se propagaron como fuego. Trenes llegaban a Toronto, Canadá y Buffalo, Nueva York. Miles de personas vinieron a ver con gran entusiasmo lo que sucedería en las cataratas del Niágara.

Lo menos que se podía decir era que sería el evento más asombroso y peligroso. No habría ninguna red de seguridad para atraparlo si cayera. Si Charles Blondin perdía el equilibrio, eso significaría su muerte. Él fue un hombre valiente y destacado dispuesto a arriesgar su vida. La emoción de tal evento era increíble mientras la muchedumbre se reunía.

Finalmente, llegó el gran día. Se extendió una cuerda tensada sobre las cataratas. Blondin empezaría su caminata sobre el lado canadiense y cruzaría a Estados Unidos. El poderoso río Niágara que corre por las cataratas estaría justo debajo de él.

La gente miró atentamente mientras Blondin comenzó su aventura deslumbrante. Comenzó a caminar lentamente y cuidadosamente sobre la cuerda. Un paso delante de otro mientras caminaba sobre las imponentes cataratas. Sostenía su barra de 40 libras (18 kg) mientras mantenía su equilibrio con cuidado.

Finalmente llegó al otro lado. La muchedumbre celebró haciendo más ruido que las cascadas. ¡Todos estaban tan emocionados! Todos aplaudieron y festejaron mientras Blondin sonreía y saludaba.

Luego Blondin dejó a la gente muda una vez más. Estaba listo para sacar algo más de su bolsa de trucos y asombrar la muchedumbre una vez más. Charles Blondin anunció que él regresaría hacia el otro lado de las cataratas. Cruzaría las imponentes cataratas del Niágara otra vez en el mismo día y regresaría a tierra canadiense.

Después dijo algo más increíble. Blondin dijo que no regresaría solo. Volvería por encima de las cataratas llevando un hombre adulto sobre su espalda. La gente se volvió histérica con la emoción. Blondin hizo esta pregunta: "¿Cuántos creen que puedo llevar un hombre en mi espalda hasta el otro lado de las cataratas?" Todos gritaban:"Sí creemos. Sí creemos. Sí creemos".

Blondin luego hizo la pregunta clave: "¿Quién será ese hombre?" La multitud se acalló. Nadie quiso ir de voluntario. Todos gritaron que creían, pero no estaban dispuestos a confiar en él.

Finalmente, en desesperación, el representante de Blondin, Harry Colcord le preguntó si él creía que lo podía llevar a cuestas por las cataratas. Colcord le respondió: "No tengo duda alguna". Blondin luego le preguntó a Colcord si le tenía confianza. Harry Colcord dijo: "Sí".

Todos miraron con incredulidad cuando Harry Colcord se subió en la espalda de Charles Blondin. Una vez más ajustaron la cuerda y Blondin comenzó el viaje peligroso llevando a Colcord en su espalda. La tensión se cortaba con cuchillo. La angustia de la gente fue inconcebible. Blondin estaba haciendo lo imposible y Colcord estaba creyendo lo increíble.

Pero, mientras Blondin llegaba al punto medio, el evento se volvió más peligroso. Un espectador cortó uno de los cables de guía y la cuerda comenzó a moverse para delante y atrás de manera aterrorizante. Blondin paró y se quedo de rodillas agarrando la cuerda floja. Le dijo a Colcord que se bajara. La gente miró con horror mientras los dos estaban colgados por encima de las cataratas.

Blondin lo miró a Colcord a los ojos y gritó: "Harry, ya no eres más Colcord, eres una parte de Blondin. Cuando yo me muevo, tú te debes mover. Debes ser parte de mí o sino vamos a caer a nuestra muerte. Ahora, sube a mi espalda".

Colcord volvió a subirse a Blondin en un acto que desafiaba a la muerte misma. De pronto, Charles Blondin empezó a correr a todo lo que daba. La cuerda se movía mientras Blondin corría con Colcord en su espalda. Cómo mantuvo su equilibrio, nadie pudo entender. Las cataras tronaban debajo de él mientras Blondin trataba de salvar su vida. Era un acto de concentración y equilibrio como nadie antes había visto.

Al fin llegó, Blondin pisó tierra canadiense. ¡La gente se volvió loca de emoción! Fue uno de los más grande actos de desafío a la muerte en la historia.

Sí, esta increíble historia claramente ilustra la fe verdadera. Muchos dijeron que creían que Blondin lo podía hacer, pero solo Harry Colcord confió en Charles Blondin. Hoy día, la pregunta es la siguiente. ¿Cree que Jesús murió por nuestros pecados y resucitó? Muchos gritaron: "Sí creemos, sí creemos".

Pero, la fe verdadera es cuando uno pone su vida en las manos del Señor. Usted debe confiar en Él si realmente quiere ir al cielo. Las distracciones estarán tronando como las imponentes cataratas del Niágara. Pero no hay duda; si usted confía en Jesús, Él lo protegerá. Su regalo de la vida eterna es para todo aquel que cree. Esto significa aceptar los hechos del evangelio y confiar completamente en Jesucristo como Salvador y Señor.

¡Créalo y lo recibirá! Simplemente diciéndole a Dios que cree que Jesús murió por sus pecados y resucitó. Luego, por fe invite a Cristo a su vida como Señor y Salvador. Mi amigo o amiga, usted tiene que tomar una decisión personal por Cristo y el increíble regalo de la vida eterna será suyo. Juan 1:12 dice: "Mas a todos los que le recibieron, a los que creen en su nombre, les dio potestad de ser hechos hijos de Dios". Yo confío que usted creerá y recibirá.

Capítulo 51

La Navidad se describe con tres palabras: "Dios con nosotros"

Si pudiéramos condensar toda la verdad de Navidad en tres palabras, serían: "Dios con nosotros". Mateo 1:23 dice:

He aquí, una virgen concebirá y dará a luz un hijo, y llamarás su nombre Emmanuel, que significa 'Dios con nosotros'.

Ve mi amigo; el niño nacido en el pesebre fue el creador soberano, omnipotente del cielo y la tierra. Jesús fue y siempre será: "Dios con nosotros".

Por medio de Cristo, Dios se puso a nuestra altura. Dios se acercó a nosotros por medio de Cristo para que nosotros tuviéramos acceso a Él. Por medio de la encarnación, Dios se ha identificado con la humanidad. Él sabe cómo nos sentimos al poder identificarse con los problemas de la debilidades humanas. Pero, por su deidad, Dios suplirá todas nuestras necesidades por medio de su Hijo, Jesucristo.

Me acuerdo de Pedro el Grande, quien aprendió a identificarse con los constructores de barcos de su país. Pedro el Grande fue el zar de Rusia durante en el 1700. Fue un hombre muy poderoso e inteligente que ocupaba el trono de Rusia. Toda Rusia estaba a su disposición y el abusó de dicha autoridad en forma despótica.

Fue el primer zar que intentó combinar las costumbres de Europa con las de Rusia. Intentó cambiar el modo de vida de

Rusia. Adoptó un modo de vestir Europeo e hizo que el uso del tabaco fuera obligatorio para todos los miembros de la corte. Hasta convocaba a los grandes nobles y les recortaba la barba con sus propias manos. Por supuesto, quien sea que se le opusiera, padecería una muerte pública. Esto incluyó la ejecución de su propio hijo. Sí, fue un hombre muy poderoso y temido por todos.

Pero, una de las cosas que más intrigaron a Pedro el Grande fue la industria de construcción de barcos de Inglaterra y Holanda. En consecuencia, Pedro el Grande hizo uno de los actos más inusuales como zar. Dejo su vestidura real y viajó a Inglaterra de incógnito. Se vistió como todos los demás y consiguió un empleo en la industria de construcción de barcos. Aprendió los secretos del negocio. Esto le dio una gran perspectiva sobre cómo construir barcos de muy buena calidad. También le dio la experiencia personal para enfrentar los problemas que día a día enfrentaba con los obreros.

Una vez que obtuvo la experiencia que necesitó, él regresó a Rusia y se volvió a vestir con su ropa real. Emprendió la tarea de enseñar a los rusos cómo construir barcos de excelente calidad. Fue un gran maestro por su conocimiento, su habilidad y la consideración que demostraba antes las necesidades de los trabajadores. Poseía la sabiduría y el poder de un rey, y hasta pudo identificarse con el pueblo. Aplicó lo que había experimentado y obtuvo la perspectiva necesaria.

En cierta manera, eso es lo que Dios ha hecho por nosotros por medio de Jesucristo. El Rey de reyes y Señor de señores tomó forma humana en la persona de Jesucristo. El Dios todopoderoso se identificó con la humanidad por medio de su Hijo, el Señor Jesús. El Creador se ha identificado de una manera muy personal con su creación. Dios se hizo un hombre en la persona de Jesucristo. Nosotros lo llamamos la encarnación.

El nacimiento virginal de Cristo es una verdad fundamental de la fe cristiana. Isaías profetizó el nacimiento virgen mucho antes de que el ángel se lo anunciara a María. Isaías 7:14 dice:

Por tanto, el Señor mismo os dará señal: He aquí que la virgen concebirá, y dará a luz un hijo, y llamará su nombre Emmanuel.

Isaías 9:6 sigue diciendo:

Porque un niño nos es nacido, hijo nos es dado, y el principado sobre su hombro; y se llamará su nombre Admirable, Consejero, Dios Fuerte, Padre Eterno, Príncipe de Paz.

¿Porqué este niño llamado “Emmanuel” llevaba el título de “Dios poderoso” y “Padre eterno”? Porque, según Mateo 1:23, el nombre Emmanuel significa “Dios con nosotros”.

Eso, amigo mío, es la verdad bendita de la Navidad. Dios está con nosotros en la persona de su Hijo, el Señor Jesucristo. Ese niñito en el pesebre fue el Rey de reyes y Señor de señores. Jesucristo fue concebido por el Espíritu Santo, nacido de la Virgen María, y tomó forma humana. El Creador hizo la más grande identificación con su creación.

Por eso la Biblia dice en Hebreos 4:15, hablando de Jesús.

Porque no tenemos un sumo sacerdote que no pueda compadecerse de nuestras debilidades, sino uno que fue tentado en todo según nuestra semejanza, pero sin pecado.

Sí, Jesucristo puede sentir lo que nosotros sentimos. Él entiende nuestras necesidades porque dejó sus vestiduras reales y se hizo un hombre. Aquí están las buenas noticias: Porque es un ser humano, entiende nuestras debilidades, pero porque es Dios nos puede dar victoria sobre ellas.

Sí, Jesús tiene el poder completo para fortalecernos en

cualquier situación. Por eso la Escrituras dice en Hebreos 4:16:

"Acerquémonos, pues, confiadamente al trono de la gracia, para alcanzar misericordia y hallar gracia para el oportuno socorro".

Sí, Cristo tiene todo el poder que necesitamos para ayudarnos con nuestros problemas de la vida. Él dejó sus vestiduras reales, dejó el cielo y vino a esta tierra. Pero recuerde, su nombre es "Emmanuel" que quiere decir "Dios con nosotros".

Eso es correcto, Él es el Hijo eterno de Dios. Él ha regresado con el Padre y ahora está sentado a la diestra del Todopoderoso en lo alto. Él nos ofrece la entrada al trono de Dios. Él nos invita a hablarle a Él y conversar con Él en oración. Él dice que le hablemos porque sabe cómo nos sentimos. Él se puede identificar con nosotros hoy.

¿Alguna vez tuvo un problema y necesitaba de un amigo que lo pudiera entender? Jesucristo se ofrece para ser ese amigo hoy. Él siempre está dispuesto a escuchar. Una vez que usted le abre su corazón en oración, Él lo abrazará y suplirá todas sus necesidades. Usted puede apoyarse sobre su hombro en este día.

Amigo mío, Jesucristo es "Dios con nosotros" no solamente para identificarse con nuestras necesidades, sino también para suplir nuestra necesidad más grande. La necesidad más importante que todos tenemos es la necesidad de ser perdonados por nuestros pecados. Es por eso que Cristo vino a esta tierra. El Dios del cielo dejó a un lado sus vestiduras reales y viajó de incógnito a su ciudad natal, Belén. Ve, la cuna solamente fue la primera parte. La próxima escena importante fue la cruz donde Cristo dio su vida por nosotros.

Eso es correcto, Cristo nació para morir. Él su humilló a sí mismo y dejó el cielo y fue a la cruz por nuestros pecados. Él murió y resucitó para que nosotros pudiéramos tener una relación personal con Dios. Igual como Pedro el Grande dejó su gran trono en Rusia y fue a Inglaterra y aprendió el mercado de construcción de barcos, regresó a Rusia, y le enseñó a su pueblo como construir barcos excelentes, así también Cristo dejó su trono, vino a esta tierra y se identificó con la humanidad. Pero, Él no solamente se identificó con la humanidad, Él sacrificó su vida por la humanidad.

Sabe, Pedro el Grande hizo un acto inusual como rey. Una vez se disfrazó de pobre y se dirigió a un pueblo. Fue de casa en casa pidiendo ayuda. Finalmente, un hombre lo recibió en su hogar.

Al día siguiente, Pedro el Grande envió un carruaje real a la puerta de la casa de ese hombre. Llevó el hombre a Moscú y le permitió vivir en el palacio del rey. El hombre recibió a Pedro el Grande, y lo trató como de la realeza.

Amigo mío, Jesús nació en un pesebre como una persona común y corriente. El Rey de gloria llegó en una cuna humilde en Belén. Luego, fue a la cruz, murió y resucitó por nuestros pecados. Hoy, Él está tocando a la puerta de nuestros corazones y busca entrar a nuestra vida.

Para aquellos que lo reciben, Jesús les proveerá para toda la eternidad. Él te llevará al palacio real del cielo cuando la vida termine en esta tierra. Sí, el significado verdadero de la Navidad se encuentra en tres palabras, "Dios con nosotros".

Capítulo 52

Mas para Dios todo es posible

Algunas de las palabras más poderosas en todas las Escrituras se encuentran en Mateo 19:26. Y mirándolos Jesús, les dijo:

Para los hombres esto es imposible; mas para Dios todo es posible.

Sí, cuando usted incluye a Dios en cualquier ecuación, tiene la formula para el éxito. Dios y usted siempre constituirán una mayoría. Lo imposible se hace posible con Dios.

Jesús impartió la verdad increíble y el principio fundamental para el éxito. Es una promesa positiva basada en el poder ilimitado de Dios. Graben esta idea a fuego, "con Dios todo es posible". Le dará esperanza en cualquier situación. Su vida se elevará a nuevas alturas por medio del poder de la esperanza.

Hará logros inmensos que usted antes consideraba como "imposibles". Cualquier obstáculo se convertirá en una oportunidad para experimentar el poder de Dios. Una fuente de energía fortalecerá su vida. Tendrá la fe para ponerse nuevas metas mirando más allá de la luna y se acercará a las estrellas.

Las palabras de Filipenses 2:13 cobraran vida en su corazón. Las Escrituras dicen:

Porque Dios es el que en vosotros produce así el querer como el hacer, por su buena voluntad.

Esto le dará la confianza necesaria para escalar cada montaña. Con el tiempo, la palabra "imposible" desaparecerá de su vocabulario.

Jesús dijo en Marcos 9:23: "Si puedes creer, al que cree todo le es posible". Sí, el poder de la fe le dará un enfoque positivo a su vida. Recuerde, su logro siempre empieza con su actitud.

Jesús dio una promesa poderosa a la que aferrarse cuando dijo en Mateo 19:26, "para Dios todo es posible". Esas palabras me han dado una motivación positiva y formado el cimiento para un ministerio positivo. Virtualmente he construido mi vida y mi ministerio sobre esas palabras preciosas de Cristo.

Me acuerdo cuando empecé a aplicar, de una manera muy práctica, esta promesa por primera vez, "para Dios todo es posible". En junio de 1985, comencé a trabajar como pastor en las que ahora es la Iglesia Bautista Nueva Vida. Cambiamos el nombre cuando mudamos las instalaciones de la iglesia en 1992. Queríamos que el nombre "Nueva Vida" se identificara con nuestra misión. Nuestra meta era ayudar a la gente a descubrir la "Nueva Vida" que Jesús nos da por medio de la fe en Él.

Cuando vine a la iglesia por primera vez, muy pocas personas asistían. De hecho, el primer domingo que prediqué en la iglesia, solo hubo 23 personas. La iglesia ya tenía casi 30 años y había experimentado algunas épocas buenas y otras malas. Perecía que la mayoría de los pastores no se quedaban por mucho tiempo. De hecho, yo fui el decimotercero pastor que trabajó en dicha iglesia. Francamente, si nos ateníamos a las apariencias, parecía que estábamos enfrentando "la peor de las épocas".

Teníamos un edificio viejo que necesitaba algunas mejoras. El cielorraso en el auditorio estaba manchado debido a las goteras del techo. Los paneles oscuros en las paredes y la poca iluminación no le daban al auditorio una "vista agradable". La alfombra estaba muy finita de tantos años de uso y había que cambiarla.

Las ventanas del auditorio eran interesantes para mirar. Estaban cubiertas de un material multicolor en un intento para darles una apariencia de vitral. Pero, el material se estaba despegando y a mí no me parecía un vitral.

Mi oficina tampoco era de lujo. Era un cuarto de tres por cuatro cerca del bautisterio. Tenía una cortina de ducha para proteger mi escritorio del agua que salpicaba del bautisterio. Como mi padre fue albañil, pude resolver el problema de las estanterías. Simplemente tomé prestado unos bloques de concreto y unas tablas de madera y armé mis propios estantes. Parecía mejorar mi oficina de una manera extraña. Lo más importante, me ayudó a identificarme con el "obrero".

Nuestro estacionamiento también tenía características únicas. ¡Era todo de césped! Nunca antes había tenido que recortar el césped de un estacionamiento hasta que fui pastor de la iglesia. Tampoco recuerdo haber estudiado en el seminario cómo hacerlo. Al principio, no estaba seguro si lo cortaría en forma de cuadrados o en franjas, o tal vez en rombos para que se viera mejor.

Pero había algo seguro en la iglesia, un lindo aroma. Todos los restaurantes de comida rápida estaban cerca. Algunas veces salía y respiraba un aroma que se me hacía agua la boca con las comidas de McDonald, Arby, Burger King, Taco Bell y Dunkin Donuts. Creía que posiblemente podríamos atraer a la iglesia a los "adictos a comida chatarra". Tal vez podrían disfrutar de un picnic familiar en el estacionamiento con césped. Desafortunadamente, al poco tiempo pusimos ripio y eliminamos nuestra "área de picnic".

La iglesia también se enfrentaba a la carencia de recursos económicos. Después de todo, la falta de concurrencia y la carencia de fondos iban de la mano. Los pocos que estaban hacían lo mejor que podían, pero era solo unos pocos.

Les relaté esta anécdota con un propósito. Así aprendí a enfrentar las agobiantes disparidades. Desde el punto de vista humano, todo estaba en contra nuestra. Sin embargo, "para los hombres esto es imposible; mas para Dios todo es posible".

Por lo tanto, lo primero que hice, fue mencionar estas palabras "mas para Dios todo es posible" en todos los folletos y la literatura de nuestra iglesia. Lo imprimimos en el boletín, en el papel con membrete y en cada folleto de la iglesia, se incluía la promesa de Jesús. Necesitábamos creer en un Dios todopoderoso. No podíamos concentrarnos en los obstáculos, sino en el Dios todopoderoso a quien servíamos.

Por fortuna, teníamos un puñado de personas fieles que querían crecer. Creíamos en el mensaje que cambia vidas, en la muerte, sepultura y resurrección de Cristo. Estábamos comprometidos a compartir las buenas noticias de amor de Cristo con nuestra comunidad.

También creíamos que la Biblia es la eterna e inmutable Palabra del Dios viviente. Creíamos que toda la Biblia está divinamente inspirada por la Palabra de Dios y "no contiene ningún tipo de error". 2 Timoteo 3:16 dice que "toda la Escritura es inspirada por Dios, y útil para enseñar, para redargüir, para corregir, para instruir en justicia".

También creemos en las promesas de Dios que bendicen su Palabra. Romanos 10:17 dice que "la fe viene por el oír y el oír por la Palabra de Dios". Creo totalmente que la Biblia no es un reglamento que pretende convertirlo en un miserable, es un mapa que le marca el camino hacia el éxito.

Hemos visto a Dios bendecir su Palabra una y otra vez. Hemos visto cientos de personas que llegan por fe a Cristo. Hemos mudado la iglesia y pasado por dos grandes proyectos edilicios. Hasta nos reunimos en edificios alquilados durante tres años y medio mientras terminábamos el nuestro.

¡Hemos visto que la asistencia superó a las 5000 personas en las celebraciones patrióticas! Nuestro espectáculo anual de

Navidad se ha convertido en el centro de atención de la comunidad. Hemos hecho tres presentaciones para que más de 1500 personas puedan verla cada año. Todos los participantes son voluntarios y miembros de la iglesia New Life, muchos creen que son profesionales.

Dios también ha bendecido nuestros ministerios infantil y juvenil. Las familias jóvenes se sienten entusiasmadas al traer a sus hijos a la iglesia. Nuestro ministerio estudiantil, conocido como "Real Power" (Poder real) produce un gran impacto en los estudiantes de escuela media y secundaria. También organizamos nuestros campamentos para niños y jóvenes cada verano, donde muchos jóvenes fortalecen su fe y desarrollan relaciones positivas.

Dios continúa brindándonos la oportunidad de ministrar en nuestra comunidad. Se nos ha permitido el acceso a un centro correccional de jóvenes. Hemos visto a muchos jóvenes batallar con problemas difíciles y encontrar la respuesta a la vida por medio de la fe en Cristo. Dios también nos ha provisto los medios para abrir un ministerio radial. Este ministerio "Power for Living Broadcast" (Difusión Poder para Vivir) llega a un incontable número de personas de todo tipo.

Hace unos pocos años atrás, Dios me permitió que trabajara como capellán del equipo de fútbol de la escuela secundaria local. Cada semana, durante la temporada, dirigí como voluntario la capellanía donde asistían entre 40 y 50 jugadores. Es una gran oportunidad para motivar, en el campo espiritual, a los atletas para que alcancen la excelencia y logren el éxito fuera y dentro del campo de juego. Hay muchas cosas que las personas le dirán que son imposibles, pero, mi amigo, "para Dios todo es posible".

Sin embargo, todo comienza con una relación personal con Cristo por medio de la fe en Jesucristo quien murió y resucitó por usted. Una simple oración que invite a Cristo a su vida lo llevará de su fe en una religión formal a una relación personal con Dios. Una vez que usted haya invitado a Cristo a su vida, tendrá la confianza suficiente para encarar cualquier desafío con una fe positiva porque "para Dios todo es posible".

Su máximo momento de poder

El mensaje más poderoso es el amor de Dios para toda la humanidad. La Escritura dice en Juan 3:16: "Porque de tal manera amó Dios al mundo, que ha dado a su Hijo unigénito, para que todo aquel que en él cree, no se pierda, mas tenga vida eterna". El amor que Dios siente por usted le da significado a su vida y un gran significado.

El evento más poderoso en la historia del mundo fue la resurrección de Jesucristo. Proveyó la respuesta divina al problema más difícil de la humanidad. Las malas noticias con respecto a nuestros pecados son claras en Romanos 3:23 cuando dice: "Por cuanto todos pecaron y están destituidos de la gloria de Dios". Sin embargo, la buena noticias del evangelio es que Cristo pagó por nuestros pecados en la cruz. Primera Corintios 15:3-4 dice "Cristo murió por nuestros pecados, conforme a las Escrituras; y que fue sepultado, y que resucitó al tercer día, conforme a las Escrituras".

El momento más poderoso en su vida es cuando su fe pasa de una formalidad religiosa a una relación personal. Según Efesios 2:8, esto se logra por medio de la gracia y a través de la fe. La gracia es el amor de Dios en acción por usted. La fe es la total confianza en Jesucristo como Señor y Salvador. Quizá desee orar de la siguiente manera para comunicarse con Dios y expresar su fe en Jesucristo.

"Querido Dios, te agradezco porque enviaste a tu Hijo a morir en la cruz por mis pecados. Creo que Jesús murió y resucitó por mí. Lo invito a mi vida como mi Señor y Salvador personal. En el nombre de Jesús. Amén".

Escríbanos y cuéntenos sobre su decisión por Cristo.

Power for Living Ministry
(Ministerio Poder para Vivir)
P.O. Box 4396
South Bend, IN 46634, Estados Unidos
Email: pflmike@aol.com

CALENDARIO DE CONFERENCIAS

Michael A. Cramer es un talentoso comunicador y un líder eficaz. Mike es un experimentado conferencista de escala y ofrece una perspectiva muy valiosa en temas como:

o Liderazgo
o Valores familiares
o Evangelismo
o Instrucción bíblica
o Motivación positiva

Usted puede comunicarse con Mike a través de:

POWER FOR LIVING MINISTRY (MINISTERIO PODER PARA VIVIR)
P.O. BOX 4396
SOUTH BEND, IN 46634, ESTADOS UNIDOS
EMAIL: pflmike@aol.com

Michael A. Cramer

- Diploma del instituto Word of Life Bible
- Tecnicatura en Artes de la universidad Bethel College
- Licenciatura en Artes del instituto bíblico Moody
•j168
- Estudios de doctorado del seminario Grace Theological

Para obtener una copia adicional, por favor envíe una donación de U$S 15 a:

POWER FOR LIVING MINISTRY
(MINISTERIO PODER PARA VIVIR)
P.O. BOX 4396
SOUTH BEND, IN 46634, ESTADOS UNIDOS
EMAIL: pflmike@aol.com

Para adquisiciones mayoristas, por favor comuníquese con nosotros para hacer los arreglos necesarios

El propósito del ministerio Power for Living Ministry (Ministerio Poder para Vivir) es comunicar un mensaje cristiano positivo y facultar a las personas para que alcancen el éxito por medio de una enseñanza motivadora y de inspiración de la verdad sagrada.

Gracias por ayudarnos a compartir la fe positiva que cree que:
"Para Dios todo es posible".